COLLECTION
FOLIO CLASSIQUE

Chrétien de Troyes

Lancelot ou le Chevalier de la Charrette

Éditions présentée et annotée
par Mireille Demaules
Professeure à l'Université d'Artois

Traduction de Daniel Poirion

Gallimard

Traduction de la Bibliothèque de la Pléiade.

PRÉFACE

À la mémoire de Daniel Poirion

Entre 1176 et 1181, Chrétien écrivit simultanément deux romans, l'un consacré à Yvain, l'autre à Lancelot du Lac, en masquant l'identité de ses héros sous de mystérieux blasons. Mais alors que le Chevalier au Lion *sonne comme un titre de gloire pour Yvain, puisqu'il rappelle son insolite compagnonnage avec l'animal aventureux, le* Chevalier de la Charrette *accable Lancelot du Lac, le plus magnifique chevalier de la cour d'Arthur, d'un surnom méprisant, en l'associant à la charrette d'infamie réservée aux assassins et aux voleurs, dans laquelle le héros monte pourtant afin de retrouver sa bien-aimée. Quel forfait a-t-il commis, vers quel destin va-t-il, s'interrogent les foules rencontrées sur le chemin de son humiliation ? Comme un mauvais augure, toutes ces questions pèsent ainsi, dès son entrée dans notre littérature, sur la carrière héroïque de Lancelot du Lac qu'un amour fou et coupable unit à la reine Guenièvre, l'épouse du roi Arthur, celle entre toutes interdite. Le paradoxe du titre, où se lisent une faute et une déchéance, n'est peut-être que le reflet du malaise de Chrétien face à un sujet — l'amour adultère — qui lui fut dicté, si l'on en croit le prologue, par la comtesse Marie de Champagne, si experte en casuistique amoureuse, qu'André Le Chapelain lui attribua dans son traité d'amour courtois,* De Amore, *des « jugements » rendus au terme de débats sur l'amour. À Chrétien revint le mérite de la mise en forme, ce qu'il appelait l'art de la* conjointure, *mot qui désigne l'architecture poétique du récit, l'assemblage des motifs, des personnages et des situations romanesques. Une troisième personne prêta son talent à une fiction que le poète champenois délaissa peut-être par lassitude, ou par désintérêt : le clerc Godefroi de Lagny, par ailleurs inconnu. Muni du consentement de Chrétien, il imagina la délivrance du héros que le maître avait laissé emprisonné dans une tour, à peu près au vers 6150, et, débloquant le récit tombé en panne, le mena à bonne fin, jusqu'au vers 7122. La complexité des circonstances de la composition justifie sans doute la pluralité des tons et du sens, le mélange ambigu de la féerie bretonne, de l'idéal courtois et de la perfection chevaleresque qui s'unissent dans la figure de Lancelot du Lac.*

Héros et légendes

Composé en octosyllabes à rimes plates, comme presque tous les romans médiévaux jusqu'à l'invention de la prose romanesque au XIIIe *siècle, le* Chevalier de la Charrette *relate l'enlèvement de la reine Guenièvre par Méléagant, le fils de Bademagu, roi du mystérieux pays de Gorre où sont retenus prisonniers des sujets du roi Arthur. À la poursuite du ravisseur, s'élancent le sénéchal Keu, Gauvain, et un chevalier inconnu, qui consent, pour retrouver la reine, à monter dans la charrette d'infamie, conduite par un nain.*

Gauvain et le chevalier de la charrette, dont le nom ne nous sera révélé qu'au milieu de l'œuvre, se séparent bientôt, et pénètrent au pays de Gorre par deux voies différentes : Gauvain choisit celle du Pont sous l'Eau, Lancelot, celle du Pont de l'Épée. Après d'énigmatiques aventures, Lancelot arrive à la cour de Bademagu, combat Méléagant et délivre tous les prisonniers du royaume de Logres ainsi que la reine, qui, après lui avoir réservé un accueil glacial, lui accorde une nuit d'amour. Parti en quête de Gauvain, captif des eaux au Pont Immergé, Lancelot est fait prisonnier par traîtrise et enfermé dans une tour par Méléagant. C'est à Gauvain que revient donc l'honneur de ramener la reine à la cour. Godefroi de Lagny conclut le récit en racontant comment Lancelot, après avoir été libéré grâce à la complicité de la sœur de Méléagant, tua son rival dans un duel à la cour du roi Arthur.

Si, avant le récit de Chrétien, nous n'avons pas trace d'une liaison adultère entre Lancelot et la reine Guenièvre, divers témoignages antérieurs attestent bien cependant l'existence d'un conte relatant l'enlèvement de la reine. Ainsi à l'archivolte du portail de la Pescheria de la cathédrale de Modène en Italie, a été sculptée vers 1125-1130 une frise représentant l'emprisonnement de la reine Winlogee que tentent de délivrer le roi Arthur et ses chevaliers[1]*. Sans doute est-ce par l'intermédiaire des Normands, implantés en Sicile et en Italie du Sud dès la fin du* XIe *siècle, que le conte a pénétré en Italie. En Grande-Bretagne même, un récit relaté*

1. Une inscription gravée au-dessus de chaque personnage sculpté permet d'identifier les héros de ce conte. À ce sujet, on peut consulter l'article de Jacques Stiennon et Rita Lejeune, « La Légende arthurienne dans la sculpture de la cathédrale de Modène », dans *Cahiers de Civilisation Médiévale*, X^e^-XIIe siècles, Université de Poitiers, t. 6, 1963, p. 281-296.

par un clerc gallois, Caradoc de Llancarfan, dans la Vie de saint Gildas, *qu'il écrivit avant 1136-1138, rapporte l'enlèvement de Guenièvre puis sa délivrance par le roi Arthur. On y lit en effet que le prince du Somerset, Melvas, dont le nom rappelle celui de Méléagant, enleva la femme du roi Arthur, Guennuvar. Le roi la rechercha pendant une année et finit par apprendre qu'elle était retenue prisonnière à Glastonbury, surnommée « la ville de verre » et réputée difficilement prenable en raison des marécages qui l'entouraient*[1]*. Bien décidé cependant à reprendre son épouse, il y vint avec une très nombreuse armée, mais, dans le souci d'éviter la bataille, l'abbé de Glastonbury, accompagné d'un clerc et de saint Gildas, persuada Melvas de rendre Guenièvre à son mari. Ainsi fut conclue la paix. Dans ce récit qui laisse à Arthur la gloire de délivrer son épouse, on reconnaît le schéma de contes irlandais connu sous le nom d'*aithed *(« enlèvement »), et dont un épisode célèbre de la légende de Tristan et Yseut fournit un bel exemple : il relate l'enlèvement d'Yseut par un harpeur d'Irlande, jadis épris d'elle, et sa délivrance par son ami Tristan qui la ramène à la cour du roi Marc. L'irruption à la cour de l'étranger, qui pourrait bien être un immortel, l'enlèvement de la reine, la paralysie du souverain et l'exploit salvateur de l'amant, toutes ces similitudes entre les deux matières légendaires*

1. Glastonbury est nommée « ville de verre » en raison d'un rappel homophonique du substantif *glass* qui signifie « verre ». Grâce à ce jeu de mots, Glastonbury a été identifiée avec l'« île de verre » de la mythologie celtique, séjour des morts et des bienheureux. Voir à ce sujet : Ferdinand Lot, « Melwas, roi des morts, et l'île de verre », dans *Romania,* t. 24, 1895, p. 327-335. Du même auteur, on pourra consulter le résumé de la *Vie de saint Gildas,* dans l'article intitulé, « Nouvelles études sur le cycle arthurien, I, Glastonbury et Avalon, seconde partie, la *Vita Gildae* », dans *Romania,* t. 28, 1898, p. 564-573.

nous invitent à penser qu'elles ont puisé dans un même fonds légendaire celtique, adapté aux attentes d'un public courtois du XIIe siècle[1]*, puisque c'est l'amant et non le mari qui reconquiert la femme.*

Lieux imaginaires

Les racines celtiques du récit ont laissé dans l'univers romanesque de Chrétien des éléments d'étrangeté et des incongruités poétiques, déposés là dans le texte sans qu'aucune explication rationnelle n'éclaire leur nécessité narrative. Le merveilleux, certes discret dans ce roman, tient à la représentation de l'espace, privé de tout repère réaliste, ainsi qu'à l'apparition de personnages énigmatiques ou d'objets magiques[2]*. Dès que les chevaliers quittent la cour d'Arthur, l'espace de la quête et de l'aventure se dilate en un espace imaginaire et flou. Pour délivrer Guenièvre, prisonnière du pays dont nul ne revient, Lancelot doit traverser des frontières aquatiques, qui, selon la mythologie celtique, isolent notre monde de l'au-delà des divinités et des morts : un gué qu'interdit un chevalier menaçant, puis le Pont de l'Épée, jeté sur une rivière aussi impétueuse que « le fleuve du*

1. Les sources celtiques du conte de la femme que se disputent un mortel (le roi) et un immortel ont été étudiées par Gertrude Schoepperle, *Tristan and Isolt. A Study of the Sources of the Romance*, New York University, Ottendorfer Memorial Series of Germanic Monographs, n° 3, Francfort-sur-le-Main, Joseph Baer & Co., Londres, David Nutt Publisher, 1913, t. 2, « The Harp and the Rote », p. 417-430.

2. Sur le merveilleux et sa signification, on se reportera à l'ouvrage de Daniel Poirion, *Le Merveilleux dans la littérature française du Moyen Âge*, P. U. F., coll. Que sais-je ?, 1982. Voir, en particulier, le chap. 5, « Le mythe et la merveille dans les romans bretons du XIIe siècle, seconde partie, Chrétien de Troyes », p. 69-81.

diable », et que seul le chevalier élu peut franchir. Entre ces deux rivières, il parcourt un espace intermédiaire où se dresse le périlleux Passage des Pierres, si étroit que deux chevaliers ne sauraient le traverser de front. Le chemin de sa quête se révèle donc une initiation au terme de laquelle sa solitude se transmue en une élection. Gauvain, quant à lui, ne parviendra jamais à franchir le Pont sous l'Eau, et, tel un bouchon, flotte et coule dans la rivière qui le retient captif.

Une fois franchi le gué interdit, landes et forêts sont parsemées d'« îlots d'enchantement » (D. Poirion, 1982) comme les châteaux et les demeures féeriques où d'étranges aventures sollicitent la vaillance du héros. Dans le premier château où Lancelot trouve l'hospitalité, une lance enflammée, tombée du plafond, traverse la nuit de sa lumière maléfique pour s'abattre sur lui, alors qu'il est étendu sur le Lit Périlleux, préfiguration de ce lit interdit où l'accueillera bientôt la reine. Au soir du deuxième jour, dans une demeure étrangement déserte, où l'attend un somptueux festin, une demoiselle, avatar de la fée séductrice, éprouve sa fidélité et sa bravoure en s'offrant à lui, et en mettant en scène le viol dont elle se prétend la victime. Lieu d'une épreuve révélant un savoir sur la sexualité et la mort, le château peut être aussi, sans qu'aucun scénario magique ne s'y déroule, un piège mécanique, comme le château aux portes retombantes, annonciateur de la tour funeste où Lancelot sera finalement enfermé.

Mais dans cet espace intermédiaire où se déroule la quête, il est d'autres lieux pour pénétrer les mystères de l'au-delà et de la mort : la fontaine, le pré et le cimetière. Sur la margelle d'une fontaine, Guenièvre a ainsi oublié un peigne d'ivoire qui retient entre ses dents quelques-uns de ses cheveux d'or. Disparue, enlevée au royaume de la mort, la reine acquiert la séduction mystérieuse des fées, qui, on le sait, se baignent et se peignent au bord des eaux vives. Son pouvoir de fée qui résonne dans l'origine galloise de son nom, Gwenhywar signifiant « Blanc Fantôme », se pressent dans l'extase amoureuse de Lancelot, soudain abîmé dans la contemplation de ces cheveux qui le mettent sur la voie de l'Autre Monde. S'entrouvre alors pour lui le pays des sortilèges qu'il lui faut déjouer pour ne pas y rester éternellement captif, comme dans le pré aux jeux, cette clairière de l'Autre Monde, où, selon Antoinette Saly, il échappe à l'enchantement de la carole qui retient à tout jamais le danseur dans son cercle magique[1]*. En effet, pour le héros, il n'est pas encore temps de s'arrêter, ainsi que le prédit l'inscription sur la lame de sa propre tombe qu'il soulève avec une grâce herculéenne, au Cimetière Futur, espace étrange et paradoxal, consacré non pas à la méditation sur les cendres du passé, comme le cours naturel des choses nous y invite d'ordinaire, mais à l'avènement de la prophétie sur la fin de l'aventure et le destin du libérateur, selon les principes d'une écriture poétique qui s'affranchit des lois de l'espace-temps.*

Rencontres

Si l'aventure est un exploit extraordinaire qui surgit dans l'ombre de la forêt, dès que le chevalier quitte la cour d'Arthur, elle est aussi constituée par la rencontre d'énigmatiques personnages dépourvus d'identité, qui semblent

1. Voir Antoinette Saly, « L'épisode du pré aux jeux dans *Le Chevalier de la Charrette* », dans Actes du colloque des 14 et 15 janvier 1984, Université de Picardie, Centre d'études médiévales d'Amiens, *Lancelot*, publiés par les soins de Danielle Buschinger, Kümmerle Verlag, Göppingen, 1984, p. 191-197.

souvent relever de l'univers anonyme des contes et qui, lorsqu'ils ne lui servent pas de guide, lui imposent des épreuves qualifiantes. Telle est la fonction du nain, être toujours maléfique, qui suggère à Lancelot de monter sur la charrette d'infamie pour retrouver la trace de sa bien-aimée. Doté d'un étrange savoir qui fait défaut au héros, comme au lecteur, il semble associé, en vertu d'une analogie inverse, à Méléagant, figure atténuée du géant ravisseur de femmes que l'on trouve aux sources du mythe arthurien[1]*. De fait, si le nain n'a pas menti, et s'il est bien donné à Lancelot, le lendemain de son funeste trajet en charrette, d'apercevoir la reine dans le lointain, il voit aussi Méléagant, le grand chevalier, qui l'escorte et l'entraîne au-delà de la rivière. Artisan de l'emprisonnement de Lancelot, le nain qui l'abuse à la fin du roman est bien une créature du prince de Gorre, plus explicitement encore que ne l'est le nain de la charrette, figure emblématique du maléfice surnaturel de la charrette.*

Mais dans cet univers chevaleresque, le mystère naît parfois de l'onirisme d'une apparition répétée et incongrue, comme celle des chevaliers hostiles qui défient Lancelot et semblent l'image projetée de Méléagant : ainsi en est-il du prétendant de la demoiselle amoureuse, qui serait prêt à la disputer à Lancelot pour l'enlever, comme Méléagant le fit de Guenièvre, sans l'intervention d'un père raisonneur dont les propos de modération annoncent ceux de Bademagu. Ainsi en est-il aussi de l'orgueilleux chevalier venu réclamer la tête de Lancelot et qui, comme le sera Méléagant lors du duel final, sera lui-même décapité, à la demande de la

1. Selon la légende, Arthur, au début de son règne, aurait combattu victorieusement le géant Dinabuc, ravisseur de femmes. Voir Wace, *Le Roman de Brut,* édité par Ivor Arnold, Paris, Société des Anciens Textes Français, 1938-1940, t. 2, v. 11279-11608.

demoiselle à la mule fauve, qui n'est autre que la sœur de Méléagant, nous l'apprendrons ultérieurement.

Surgie de nulle part, sur cette monture dont la couleur rappelle les flammes infernales, cette demoiselle inconnue, venue de très loin demander ce don barbare à notre héros, est à l'image de toutes ces énigmatiques demoiselles qui guident Lancelot dans la première partie de sa quête, révélant sa chasteté de parfait amant ou stimulant son héroïsme et sa largesse de parfait chevalier. En effet cinq demoiselles se relaient sur la route de son errance, pour le mettre à l'épreuve ou l'aider : la demoiselle du château de la lance enflammée, puis celle du carrefour qui enseigne les deux voies pour pénétrer au pays de Gorre, l'amie du gardien du gué qui réclame la grâce du vaincu, la séductrice perverse qui met en scène son propre viol et guide ensuite Lancelot vers le Cimetière Futur, enfin l'ennemie de l'orgueilleux chevalier, la sœur de Méléagant. Ce qui contribue à brouiller leur individualité poétique, c'est qu'elles sont très souvent liées à Lancelot par la contrainte d'une promesse de don. Ainsi, par exemple, la demoiselle du carrefour exige-t-elle un don en échange des renseignements fournis. Est-ce elle alors qui réapparaît au gué pour demander d'épargner le vaincu ? Est-ce elle encore qui surgit sur sa mule fauve pour réclamer, tout au contraire, sa tête ? Femmes impossibles à identifier, elles semblent comme l'émanation de la forêt, l'écho poétique de la fée des eaux qui éleva Lancelot dans son enfance et continue à le protéger et le secourir avec tendresse. Si l'amour et la jouissance l'unissent à Guenièvre, la parole donnée et l'échange de services, mais aussi la féerie de l'enfance lient Lancelot à ces demoiselles qui manifestent ainsi la complicité du héros et la richesse de ses relations avec l'univers féminin et ses mystères.

La poésie des choses

Outre l'espace imaginaire et les personnages qui le hantent, les objets artificiels contribuent à créer cette atmosphère diffuse de féerie, sans pour autant avoir cette simplicité d'outil merveilleux qu'ils possèdent dans les contes. Ainsi l'anneau magique donné par la fée maternelle à Lancelot a-t-il bien pour fonction de l'aider dans sa quête, mais au lieu d'être l'anneau d'invisibilité des contes, tel par exemple l'anneau que Lunete donne à Yvain et qui lui permet de disparaître lorsqu'il en tourne la pierre, il permet de déceler et de dissiper les enchantements, rétablissant vérité et réalité là où l'anneau des légendes engendre l'illusion du sortilège. Ainsi que l'écrit Daniel Poirion, « les pouvoirs magiques sont, dans la création romanesque, réversibles[1] *».*

Mais ce qui confère à l'objet poétique chez Chrétien de Troyes cette irréalité onirique et cette épaisseur de mystère qui le caractérise, c'est son mode de création à partir de plusieurs images concrètes superposées ou de représentations symboliques hétérogènes, étroitement mêlées. En superposant deux objets du monde aussi concrets qu'un pont et une épée, aussi opposés également dans leur fonction, puisqu'un pont est fait pour relier alors qu'une épée sert à trancher, Chrétien a inventé cette merveille poétique qu'est le Pont de l'Épée, érigé en symbole de la suprématie chevaleresque, grâce à la fonction emblématique de l'épée dans l'univers des chevaliers. De même David Shirt[2] *a-t-il montré*

1. Daniel Poirion, *Le Merveilleux dans la littérature française du Moyen Âge*, P. U. F., coll. Que sais-je ?, 1982, p. 73.

2. David J. Shirt, « Chrétien de Troyes et une coutume anglaise », dans *Romania*, t. 94, 1973, p. 178-195.

de manière convaincante que la charrette résultait d'une fusion poétique entre deux véhicules punitifs en usage à l'époque de Chrétien : la charrette patibulaire dont on se servait en France pour conduire les condamnés à mort pour délits majeurs, et le tumbril *(« tombereau ») en usage en Angleterre, à côté du pilori, pour punir ceux qui étaient reconnus coupables de délits mineurs. Sorte de tombereau où était assis et lié le condamné, le* tumbril *était utilisé pour promener le condamné à travers toutes les rues et l'exposer ainsi à la moquerie publique. On comprend bien dès lors la honte attachée à ce véhicule, les sarcasmes et les huées que doit essuyer Lancelot. En procédant à l'amalgame de ces deux véhicules punitifs, usités dans deux systèmes pénaux différents, Chrétien a créé sa charrette, objet poétique qui agrège de multiples significations mythiques, en raison des obscurités et ambiguïtés du texte, mais aussi et surtout en raison de son lien avec la mort. Véhicule de mauvais augure, au passage duquel il convient de se signer pour conjurer le malheur, la charrette évoque en effet le terrifiant* Karrig an Ankou *de la mythologie bretonne, le chariot de la mort dont les essieux grincent dans la nuit et que personne n'a jamais vu sans perdre aussitôt la vie. Objet énigmatique en raison des questions qu'elle fait surgir (d'où vient-elle ? où va-t-elle ?) et en dépit du semblant d'explication rationnelle qu'en donne Chrétien, la charrette est, au sens propre du terme, une merveille, c'est-à-dire une chose étonnante et singulière. Mais elle ne sert pas tant à créer un effet d'étrangeté ponctuel qu'à construire la vision énigmatique du chevalier monté sur la charrette et, à travers elle, le* sen *de ce roman qui veut que l'amour soit plus fort que toute honte.*

Le vasselage d'amour

En effet on aurait tort de concevoir le récit de Chrétien comme un assemblage hétéroclite de motifs de contes car cette fiction est avant tout un roman d'amour qui marque l'entrée en littérature d'amants mythiques, Lancelot et Guenièvre, figures archétypales de l'amour courtois dont l'éthique est issue de la fin'amor *des troubadours de langue d'oc. Dans la poésie d'amour méridionale, l'amant est lié à la dame par une relation de service et de soumission semblable à celle qui lie un vassal à son suzerain. Incarnation du pouvoir, la dame possède la séduction hautaine que lui confère la dignité de son rang social. Son ami, qui lui est socialement inférieur, tente de s'élever à ses yeux par sa valeur morale, et d'obtenir d'elle, grâce à sa fidélité et son allégeance, le* guerredon, *cette récompense suprême qu'est le don librement consenti, de soi, de son corps et de son cœur. On retrouve dans le* Chevalier de la Charrette *cette éthique si exigeante qui fonde la* fin'amor *et ce lent cheminement de l'amour menant les êtres qu'il touche vers sa révélation. En effet, jusqu'à la jouissance accordée lors de la seule nuit d'amour qu'il vit avec Guenièvre, Lancelot doit faire preuve de sa soumission absolue aux lois d'Amour. Ainsi reste-t-il chaste et insensible aux charmes de la demoiselle amoureuse qui s'étend nue à ses côtés et s'offre à lui, car, nous dit Chrétien, « se fixer en un seul lieu, c'est la loi d'Amour qui gouverne tous les cœurs » (p. 56). Fondé sur un adultère, cet amour qui enfreint les conventions sociales et bafoue le sacrement du mariage, possède ainsi sa propre exigence de fidélité qui rend chaste le parfait amant courtois*[1]. *Loin d'être un emportement tumultueux,*

1. André Le Chapelain écrit : « Il y a aussi autre chose dans

l'amour courtois est ascèse et patience. Aussi sur le chemin de sa quête, Lancelot doit-il surmonter toute une série d'obstacles symbolisant sous une forme imagée la puissance des interdits sociaux que cet amour doit transgresser pour exister : les blessures et le sang de l'amant franchissant le Pont de l'Épée ou écartant les barreaux de la fenêtre qui le séparent de la reine apparaissent alors comme autant de signes du sacrifice de soi, consenti pour atteindre l'être aimé. D'autres obstacles tels que l'hésitation de Lancelot à monter dans la charrette, ou l'illusion des deux lions affamés à l'autre bout du Pont de l'Épée représentent peut-être les difficultés imaginaires que l'âme de l'amoureux oppose à la force de son désir et qu'il lui faut dominer. Mais dépasser ces obstacles ne garantit pas le succès de Lancelot, car il ne saurait obtenir le guerredon *sans le consentement de la dame. Aussi le sollicite-t-il humblement avant d'écarter les barreaux, de pénétrer dans sa chambre et de connaître la joie, terme qui désigne dans l'érotique courtoise le bonheur des sens apaisés.*

Or la toute-puissance de la dame justement est là, dans cette liberté qu'elle a, contrairement aux mœurs de l'époque, de se donner ou de se refuser, d'imposer aussi ses exigences les plus contradictoires, comme le fait Guenièvre au tournoi de Noauz. On a souvent interprété l'accueil glacial que la reine réserve à Lancelot, après qu'il a franchi le Pont de

---

l'amour qui mérite mieux qu'une rapide louange : il pare en quelque sorte l'homme de la vertu de chasteté, car celui qu'illuminent les rayons de l'amour peut à peine penser aux étreintes d'une autre femme que sa bien-aimée, si belle soit cette femme. En effet, quand l'amant est plein de son amour, toute autre femme est pour lui laide et sans attraits. » Voir André Le Chapelain, *Traité de l'Amour courtois,* traduit par Claude Buridant, éditions Klincksieck, coll. Bibliothèque française et romane, 1974, p. 50.

l'Épée, comme le caprice d'une femme dédaigneuse, la tyrannie d'une coquette déçue par son ami qui hésita le temps de deux pas à monter dans la charrette d'infamie. Il serait peut-être plus juste d'y voir la représentation idéalisée d'un pouvoir qui, dans cette société de guerriers, fait entièrement défaut à la femme[1]. *Amant idéal, en ce sens qu'il accepte de se soumettre à la dame et d'obéir à Amour, Lancelot consent à se couvrir de honte en montant dans la charrette d'infamie. D'un côté la dame manifeste son désir d'humilier son ami pour mieux affirmer sa toute-puissance féminine, de l'autre le chevalier subit le déshonneur et renonce à la gloire pour l'amour d'elle.*

Avoir toute honte bue

Dans les instants d'hésitation qui précèdent le saut de Lancelot dans la charrette d'infamie, le narrateur commente le choix de cette renonciation par le truchement d'un débat allégorique entre Amour et Raison : Raison lui prescrit de ne pas monter dans la charrette et de préserver son honneur de chevalier pour ne pas encourir le blâme de la société, mais Amour, enclos dans le cœur, lui enjoint d'y sauter. Lancelot obéit donc à Amour parce que monter dans la charrette est le seul moyen de retrouver la reine, mais Gauvain, à qui la même proposition est faite, décline l'offre, obéissant au code chevaleresque en vigueur à la cour d'Arthur. À l'orée de la quête amoureuse du héros, le débat entre Amour et Raison

1. Sur l'amour courtois et ses rapports au réel, on se reportera aux travaux de Georges Duby et en particulier à son ouvrage *Mâle Moyen Âge*, Flammarion, coll. Champs, 1990, première partie, *De l'amour et du mariage*, chapitre 4, « À propos de l'amour, que l'on dit courtois », p. 74-82.

place ainsi implicitement l'amour du côté de la folie et l'oppose aux valeurs chevaleresques reconnues. Que choisir entre l'obéissance à l'amour et l'obéissance au code chevaleresque ? Peut-on concilier les deux ?

Apparemment non. Le récit illustre, non sans quelque ironie du narrateur à l'égard du héros, l'antinomie de l'amour et de la prouesse. En certaines circonstances, le parfait amant se révèle un piètre chevalier, en particulier lorsqu'il aliène toute volonté et toute liberté individuelle pour s'en remettre au pouvoir exclusif de sa dame. Le vasselage amoureux se donne alors pour ce qu'il est : un cruel esclavage. À l'exigence de la reine, qui, au tournoi de Noauz, lui enjoint par deux fois de « jouter au pire », Lancelot ne répond que par des paroles de soumission, « en homme qui lui appartient tout entier » (p. 148), et se conduit alors comme le chevalier le plus couard, essuyant les railleries les plus humiliantes de ses pairs. Pour obéir aux commandements d'Amour, le parfait amant, qui n'est peut-être ici que le jouet de la volonté d'emprise de sa dame, a donc encouru le risque de voir sa prouesse anéantie. Assurément, la reine tire satisfaction du pouvoir qu'elle exerce sur son chevalier, et sa joie se mesure parfois à l'intensité de la détresse qui étreint Lancelot. Ainsi lorsque Guenièvre apprend qu'il a voulu mourir pour elle, elle ressent un plaisir un peu trop vif pour ne pas être répréhensible.

L'amour à mort

L'acceptation de la honte, la destruction de son image sociale et la reddition de sa liberté au pouvoir de la dame se conjuguent pour faire de Lancelot, selon l'expression de Mireille Séguy, « une figure de la dépossession et du renonce-

ment[1] ». *Sous l'emprise d'Amour, Lancelot semble en effet s'abstraire du monde, s'abandonner sans résistance à une rêverie profonde où il perd jusqu'au sentiment de sa propre existence, comme en témoigne l'extase du gué : « Il ne sait s'il est ou s'il n'est pas, il ne sait son nom, il ne sait s'il est armé ou non, il ne sait où il va ni d'où il vient. Il ne se souvient de rien sauf d'une seule personne, et c'est pour elle qu'il a oublié tout le reste ; c'est à elle seule qu'il pense si intensément qu'il n'entend, ne voit ni ne comprend rien » (p. 45-46). L'esprit ravi dans une sorte de transe amoureuse*[2], *Lancelot perd ainsi jusqu'à l'éveil de ses sens au monde, si bien qu'il n'entendra pas les mises en garde répétées du gardien du gué et que seule la sensation de l'eau glaciale où il tombera après avoir été désarçonné le ramènera à la vie. Dans cet état irréel suscité par l'obsession amoureuse, la frontière entre l'être et le non-être semble si ténue que le sentiment de détachement de la vie se transmue aisément en désir de mort. Abîmé dans sa contemplation de la reine, qui, escortée par son ravisseur, passe en contrebas de la fenêtre où il se tient, Lancelot désire se laisser tomber dans le vide, geste de déraison qui suscite l'effroi et la réprobation de Gauvain, parangon d'un idéal de la mesure. Et, lorsqu'une fausse nouvelle lui apprendra la prétendue mort de Guenièvre, il ne résistera pas à l'appel du néant, et tentera de se suicider avec un nœud coulant de sa ceinture.*

Si, lors de l'épisode de la charrette, au cours duquel se construit tout le sen *du roman, le héros choisit d'obéir à*

1. Mireille Séguy (sous la direction de), *Lancelot*, Autrement, coll. Figures mythiques, 1996.

2. Sur l'interprétation de cet état second, on se reportera à l'article de Michel Stanesco, « "Entre sommeillant et esveillé" : un jeu d'errance du chevalier médiéval », dans *Le Moyen Âge*, Revue d'Histoire et de Philologie, t. 90, n° 3-4, 1984, p. 402-432.

Amour et non à Raison, il accepte dès lors de se laisser guider par cette folie qui lui attire le blâme de la société, et l'entraîne au bord de la mort. L'amour semble en effet condamner le héros à des comportements démesurés et fous qui l'excluent de la société chevaleresque. Livré à l'errance, car à la cour d'Arthur il ne peut prétendre trouver une place auprès de Guenièvre, Lancelot semble n'avoir d'autre avenir que la mort. Dans le Cimetière Futur, il soulève la lame de son propre tombeau : il regarde la place qu'il occupera. Cette alliance de l'amour et de la mort donne au récit une gravité et une mélancolie que viennent cependant tempérer l'ironie de l'auteur et l'énergie du héros.

L'idéal en jeu

L'ambiguïté de l'écriture de Chrétien réside sans nul doute dans ce mélange des tons qui allie la poésie la plus grave et la plus sublime à la distance ironique du narrateur face à son sujet. Ainsi, lors du premier combat avec Méléagant, Lancelot combat-il son adversaire « à l'envers », le regard fasciné par celle qui l'observe du haut d'une tour. Il est, à cet instant, ridicule, ce que ne manque pas de relever une suivante de Guenièvre : « Ah ! Lancelot ! Est-il possible que tu te comportes si stupidement ? » (p. 107). L'image idéalisée de l'amant courtois se trouve soudain humanisée par cette faiblesse momentanée qui n'est que l'aveu même de sa passion. Et, lorsque dans le verger il attend l'apparition de Guenièvre à la fenêtre de sa chambre, le narrateur précise qu'il évite de tousser et d'éternuer, comme s'il tenait à donner l'illusion que le héros n'est pas une allégorie désincarnée, mais un corps anxieux, sujet à des mouvements intempestifs et des contingences qui pour-

raient tout gâcher d'un bruit inopportun. Cette légèreté du ton se laisse aussi pressentir dans l'usage d'images empruntées au vocabulaire religieux, qui servent à construire ce qu'Emmanuèle Baumgartner nomme l'hyperbole amoureuse, figure de l'excès que le narrateur refusait élégamment dans le prologue. Ainsi les cheveux d'or de la reine deviennent-ils de précieuses reliques qu'il n'aurait pas cédées « pour un plein chariot d'émeraudes ou d'escarboucles. Il n'avait plus peur d'attraper d'ulcère ou d'autre maladie. Fi du diamargariton, de la pleuriche et de la thériaque, et même des prières à saint Martin et à saint Jacques ! » (p. 61). La vertu des cheveux de sa belle l'emporterait donc pour notre amoureux naïf sur celle de ces remèdes au nom insolite ou même sur le pouvoir de saints particulièrement vénérés. La dame est une nouvelle divinité. Aussi, avant d'entrer ou de quitter la chambre de la reine, Lancelot s'incline-t-il vers elle, en un geste d'adoration, « car c'est le corps saint auquel il croit le plus » (p. 127). L'amour arbore ainsi tous les signes d'une dévotion cultuelle rendue à une divinité, qui, pourtant, n'a jamais été plus terrestre ni plus charnelle qu'à ce moment où elle abandonne son corps à la jouissance de l'amant. Sans doute est-ce dans la mise en scène des paradoxes de cet idéal que réside la distance d'un narrateur qui choisit alors, pour suggérer le plus, d'en dire le moins : « Ils ont connu une joie si merveilleuse qu'on n'en a jamais entendu décrire, jamais connu de semblable. Mais quant à moi je n'en dirai pas davantage, car il est interdit à un conte d'en parler. C'est parmi les joies les plus prisées et la plus délicieuse, celle précisément pour laquelle le conte garde le silence et le secret » (p. 128). On aurait tort cependant de lire dans cette distance et cet écart ironique ponctuel l'intention de parodier systématiquement les excès de l'amour courtois. Tout idéal porte en soi les germes de sa propre dérision, aussi convient-il d'apprécier l'ambiguïté de l'écriture de Chrétien, dont l'habileté consiste justement à se situer, selon Emmanuèle Baumgartner, « sur la ligne ondoyante où l'excès, l'hyperbole amoureuse et chevaleresque, peuvent tout aussi bien susciter le rejet agacé, le sourire amusé ou sceptique qu'imposer à la rêverie admirative ou nostalgique la figure hors normes de l'amour fou[1] ».

Amour chevaleresque et liberté

Pour être fou, l'amour n'en est pas moins une puissance bénéfique et altruiste qui galvanise l'énergie et la force d'un héros, dont les exploits chevaleresques effacent, au fil des aventures, l'infamie du voyage en charrette. En lançant son défi à Arthur, Méléagant avait lié le destin de Guenièvre à celui de ses sujets, prisonniers au royaume de Gorre. Libérer la reine, c'est donc, aussi, délivrer tout un peuple réduit au servage par une coutume inique dont Méléagant est le menaçant gardien. La quête amoureuse de Lancelot se mue alors en mission salvatrice, le chevalier étant investi, comme malgré lui, d'une mission collective qui consiste à abattre la mauvaise coutume et libérer tout un peuple d'une oppression étrangère, afin de rétablir la puissance du roi Arthur, un instant ébranlée. En dernier ressort, le héros met donc sa force et son intelligence, non pas tant au service de la dame qu'au service d'un ordre politique et d'une harmonie sociale qu'il consolide. Au prix d'un nouveau paradoxe — Lancelot, le rival du roi Arthur, se révélant son plus ferme soutien — Chrétien donne ainsi à l'amour adultère une cer-

1. Emmanuèle Baumgartner, *Chrétien de Troyes, Yvain, Lancelot, La charrette et le lion,* Paris, P. U. F., coll. Études littéraires, 1992, p. 69.

taine justification morale. Tous les magnifiques exploits de Lancelot se laissent en effet comprendre par l'intensité de son amour pour la reine. Cette force herculéenne, qui lui permet d'écarter les barreaux de la fenêtre ou de soulever la lame d'un tombeau, si lourde que sept hommes suffiraient à peine à la tâche, ne symbolise-t-elle pas avant tout la violence de son désir pour elle ? N'est-ce pas aussi la force de son amour qui lui fait accepter les souffrances du Pont de l'Épée et les périls de la « droite voie », véritable leitmotiv du texte qui métaphorise l'urgence de la quête ? Or la société chevaleresque, ignorant la source intime de ces exploits, n'y voit que les signes d'une exceptionnelle prouesse, si bien qu'au terme de ses épreuves, celui que les foules huaient et surnommaient le charretier se voit reconnu comme « le meilleur chevalier du monde[1] *», suprématie que Lancelot conservera dans la littérature romanesque du* XIII*e* *siècle, jusqu'à son échec dans la quête du Graal. Ainsi, contrairement au néfaste présage du voyage en charrette, être parfait amant n'empêche pas Lancelot d'être un parfait chevalier, amour et prouesse s'unissant au fil des aventures pour démentir la réputation d'infamie du charretier amoureux.*

Sans l'amour qui la vivifie, lui confère sens et finalité, la prouesse risque en effet de dégénérer en violence belliqueuse, comme chez Méléagant, ou de s'affadir, comme chez Gauvain, en un exercice de parade conventionnel, vainement respectueux des normes morales de cette société chevaleresque. Consentir à monter dans la charrette pour retrouver la reine témoigne par contraste d'une belle indifférence à l'honneur, à la gloire et au jugement d'autrui, et, plus que tout, d'une liberté individuelle appliquée à défier toutes les

1. Le moine du Cimetière Futur (p. 72), puis, plus explicitement, Bademagu (p. 96, 97) reconnaissent en lui le meilleur chevalier du monde.

conventions sociales. En précurseur des poètes surréalistes, pour lesquels l'amour est une force de contestation du réel, propre à ouvrir un monde de liberté, Chrétien a lié dans sa fiction l'amour à la liberté, liberté collective tout d'abord car le peuple de Gorre doit sa liberté recouvrée à l'amour de Lancelot pour Guenièvre, liberté individuelle, aussi, car en acceptant d'obéir à Amour, en choisissant librement de s'en remettre au pouvoir d'une femme, Lancelot dépasse les commandements d'une raison de convention, qui ne réside pas dans le cœur, nous dit Chrétien, mais dans la bouche, à savoir dans le qu'en-dira-t-on. Si, pour Lancelot, le prix à payer est lourd, puisqu'il est momentanément ravalé au rang des parias, des voleurs et des meurtriers, il n'en accède pas moins à un plan supérieur de la réalité révélé à l'élite des amants, distingués par Amour. Le narrateur ne prend-il pas fait et cause pour son charretier en déclarant : « Le cœur de ce chevalier était si estimé d'Amour qu'il lui était le plus soumis au monde, ce dont il était très fier. Aussi ne voudrais-je le blâmer d'éviter ce qu'Amour lui interdit et de s'appliquer à lui obéir » (p. 56). Avoir choisi la folie d'Amour dévoile ainsi une profonde sagesse, concentrée dans des préceptes que Chrétien semble mettre en application à travers les aventures de son héros.

Le bel inconnu

Mais de ce splendide chevalier, Chrétien ne nous écrit pas la biographie. Sans doute s'est-il inspiré de récits et de légendes aujourd'hui perdus, dont nous pouvons supposer l'existence et l'intense circulation, grâce au récit en moyen-haut allemand, Lanzelet, *que composa Ulrich von Zatzikhoven à la fin du* XII*e siècle ou au début du* XIII*e siècle* *à partir d'un original français qui nous est inconnu*[1]. *Très différent du* Chevalier de la Charrette, *le roman d'Ulrich relate l'enfance du héros et esquisse sa généalogie, ce que ne fait pas Chrétien qui entoure de mystère les origines et l'identité de Lancelot. Que sait-on en effet du chevalier de la charrette, sinon qu'originaire du royaume de Logres, il fut éduqué par une fée ? Son nom nous est dissimulé durant toute la première moitié de l'œuvre pour être révélé de la bouche même de la reine, comme si elle seule possédait le pouvoir d'effacer l'identité infamante que lui confère la charrette, « ce ridicule blason imposé au héros par la rumeur », selon les termes de Daniel Poirion*[2]. *Dépourvu de lignage et donc d'identité familiale, Lancelot n'arbore en effet à aucun moment les armoiries qui seront les siennes dans les romans de la Table Ronde du XIII*ᵉ *siècle : trois bandes rouges posées en oblique sur fond blanc. Aussi peut-il jouer sur l'incognito, pour ruser avec le silence et l'absence. Au tournoi de Noauz, il apparaît déguisé sous les armes vermeilles du sénéchal de Méléagant, entouré d'une* aura *de merveilleux, car en ces romans de chevalerie, les chevaliers vermeils sont souvent des êtres de l'Autre Monde. N'est-il pas à ce moment prisonnier de Gorre, de ce pays dont nul ne revient ? Ainsi*

1. Sur le *Lanzelet*, voir René Pérennec, *Recherches sur le roman arthurien en vers en Allemagne aux XII*ᵉ *et XIII*ᵉ *siècles*, Kümmerle Verlag, Göppingen, 1984, t. 2, chap. 5, p. 369-380. Du même auteur, on lira « Le livre français de *Lanzelet* dans l'adaptation d'Ulrich von Zatzikhoven. Recherche d'un mode d'emploi », dans Actes du colloque des 14 et 15 janvier 1984, Université de Picardie, Centre d'études médiévales d'Amiens, *Lancelot*, publiés par les soins de Danielle Buschinger, Kümmerle Verlag, Göppingen, 1984, p. 179-189.

2. Chrétien de Troyes, *Œuvres complètes*, édition publiée sous la direction de Daniel Poirion, Gallimard, coll. Bibliothèque de la Pléiade, 1994, Notice du *Chevalier de la Charrette*, p. 1247.

fut scellée par les silences et les énigmes de Chrétien la destinée littéraire de Lancelot du Lac : parfait amant de la reine Guenièvre et parfait chevalier du roi Arthur, il restera à jamais le fils de la fée, un être contemplatif attiré par l'au-delà qui le vit enfant et l'accueillera le moment venu dans le silence de la tombe.

Les ellipses du roman de Chrétien allaient assurer son succès car il appelait à la continuation de l'écriture : il fallait saturer le temps en amont et en aval de notre récit pour construire la biographie chevaleresque et amoureuse de Lancelot. C'est ce que fera le somptueux roman en prose anonyme, appelé Lancelot propre, *qui fut composé vers 1220-1225 et qui relate l'enfance de Lancelot dans le lac de la fée Niniane, son adoubement à la cour d'Arthur et ses exploits chevaleresques jusqu'à sa maturité. À ceux-ci est intimement liée sa passion pour Guenièvre dont Chrétien ne nous conte qu'un épisode. Ainsi ne savons-nous pas au terme du* Chevalier de la Charrette *si les amants pourront vivre une nouvelle nuit d'amour et si, une fois la reine revenue à la cour, leur histoire possède un avenir. Il appartint donc au* Lancelot propre *d'inscrire cette passion dans le temps et de la lier à l'histoire du Graal, vase sacré qui contint le sang du Christ, et dont les secrets divins resteront à jamais fermés à Lancelot que son amour pour la reine attache trop aux plaisirs terrestres. Toute la carrière héroïque de notre bel inconnu est en effet indissociable de sa passion amoureuse, et, au bout du compte, le voyage honteux dans la charrette d'infamie lui confère peut-être son titre de gloire le plus insolite. Est-ce un hasard en effet, si, aux* XIVe-XVe *siècles, lorsqu'on voulut représenter le dieu Mars furieux, on lui prêta les traits d'un guerrier casqué voyageant en charrette dans la campagne, en souvenir des miniatures illustrant dans les manuscrits la scène clef de notre roman*[1] *? Si l'on songe que le dieu de la guerre perdit son ardeur belliqueuse pour s'éprendre de Vénus, on peut alors rapprocher ce type de miniatures d'un curieux plateau des collections du Louvre, représentant la souveraineté de la déesse de l'amour : de son sexe nu partent des rayons qui vont frapper le visage de six adorateurs agenouillés, parmi lesquels se tient Lancelot. Qu'à l'aube de la Renaissance, l'histoire de nos amants, tout entière fondée sur l'alliance dialectique de l'amour et de la prouesse guerrière, ait pu se confondre, dans l'imaginaire des artistes, avec l'allégorie de Mars et Vénus, laisse à penser qu'elle avait rencontré le contenu moral et la vérité éternelle d'un mythe.*

Mireille Demaules

1. Sur le rapprochement dans l'iconographie de Lancelot et de Mars, on consultera l'ouvrage de Jean Seznec, *La Survivance des dieux antiques* (1940), Flammarion, coll. Champs, 1993, p. 223-227 et p. 243. On trouvera de très intéressantes reproductions de miniatures p. 225.

Lancelot
ou
le Chevalier
de la Charrette

Puisque ma dame de Champagne[1] veut que j'entreprenne la composition d'un roman, je l'entreprendrai très volontiers en homme qui se met totalement à son service pour tout ce qu'il peut faire en ce monde, sans se risquer à la moindre flatterie. Tel autre aurait pu s'en charger avec l'intention d'y glisser un compliment flatteur. Il aurait dit — et j'en pourrais témoigner — que c'est la dame qui surpasse toutes celles qui sont en vie, comme passe tous les autres vents le fœhn qui vente en mai ou en avril. Ma foi, je ne suis pas homme à vouloir flatter ma dame. Dirai-je : « De même qu'une pierre précieuse vaut tant de perles et de sardoines[2], la comtesse vaut tant de reines ? » Non, bien sûr, je ne dirai rien de tel, et pourtant c'est la vérité, malgré que j'en aie. Mais je me contenterai de dire que ses directives ont plus d'effet sur cette œuvre que toute la réflexion et la peine que j'y peux consacrer. C'est *Le Chevalier de la Charrette* dont Chrétien commence le livre. La matière et l'idée directrice lui ont été indiquées et données par la comtesse ; quant à lui il se charge de la mise en forme, sans rien apporter de plus que son travail et son application[3].

Et il raconte qu'à une fête de l'Ascension[1] le roi avait réuni sa cour avec tout le faste élégant qu'il aimait, faste bien digne d'un roi ! Après manger il ne quitta pas la compagnie de ses barons qui étaient nombreux dans la salle, où se trouvait aussi la reine. Il y avait là, j'imagine, mainte belle dame courtoise sachant bien s'exprimer en langue française. Keu, qui présidait au service des tables, mangeait avec les officiers qui avaient assuré ce service[2]. Et alors qu'il était encore assis pour manger, voilà que fit irruption à la cour un chevalier très bien équipé, et armé de pied en cap[3]. Le chevalier s'avança dans cet équipage juste devant le roi, là où il était assis au milieu de ses barons, et sans le saluer il lui dit : « Roi Arthur, j'ai dans mes prisons des gens de ta terre et de ta maison, chevaliers, dames et jeunes filles. Mais je ne t'en donne pas de nouvelles avec l'intention de te les rendre. Je veux au contraire te dire et te faire savoir que tu n'as ni forces ni richesses suffisantes pour les ravoir. Sache bien que tu mourras sans avoir pu les secourir. » Le roi répondit qu'il lui fallait bien s'en accommoder s'il ne pouvait y remédier, mais il en était très accablé. Alors le chevalier fit mine de s'en aller ; il fit demi-tour, sans s'attarder devant le roi, et vint jusqu'à la porte de la salle. Mais au lieu de descendre les marches, il s'arrêta pour lancer de là ces paroles : « Roi, s'il se trouve un seul chevalier à ta cour auquel tu te fierais assez pour oser lui confier la responsabilité de conduire la reine à ma suite dans ce bois où je vais me rendre, je l'y attendrai, et je te promets de te remettre tous les prisonniers retenus sur ma terre si ce chevalier peut gagner sur moi la bataille dont elle sera l'enjeu, et faire en sorte qu'il te la ramène[1]. » Ils furent nombreux dans le palais à entendre ces paroles, et la cour en fut tout agitée. La nouvelle en arriva à Keu qui mangeait avec le personnel de service. Il quitta la table, vint tout droit au roi et il se mit à lui dire, avec tous les signes de la fureur : « Roi, je t'ai servi bien longtemps, très fidèlement et loyalement. Mais maintenant je prends congé de toi, et je m'en irai pour ne plus jamais te servir : je n'ai plus ni la volonté ni l'envie d'être à ton service, à partir de maintenant. » Le roi est accablé par ce qu'il vient d'entendre, mais dès qu'il retrouve assez d'esprit pour lui répondre, il lui demande brusquement : « Vous êtes sérieux ou vous plaisantez ? — Beau sire roi, répond Keu, je n'ai pas envie de plaisanter en ce moment, mais je prends congé, c'est clair. Je ne vous demande ni récompense ni rétribution pour mon service chez vous. C'est bien décidé ; je pars sans plus tarder. — Êtes-vous en colère ou contrarié, que vous vouliez partir ? Sénéchal, comme il serait normal de votre part, restez à la cour, et sachez bien que je n'ai rien en ce monde que, pour vous garder, je ne sois prêt à vous accorder sans tergiverser. — Sire, dit-il, vous perdez votre temps : je n'accepterais même pas contre un setier d'or fin par jour. » Voilà le roi désespéré ; il est allé trouver la reine : « Dame, fait-il, vous ne savez pas ce que le sénéchal me demande ? Il me demande congé et dit qu'il ne restera plus à la cour, je ne sais pourquoi. Mais ce qu'il ne veut pas faire pour moi, il s'empressera de le faire pour vous si vous l'en priez. Allez le trouver, ma dame, chère épouse ; puisqu'il ne daigne pas rester pour moi, priez-le de rester pour vous, et jetez-vous plutôt à ses pieds, pour que je ne perde pas à jamais la joie en perdant sa compagnie. » Le roi envoie la reine auprès du sénéchal, et elle va le rejoindre. Elle le trouva au milieu des autres et, une fois arrivée devant lui, elle lui dit : « Keu, je suis très fâchée, je vous le dis tout de suite, de ce que j'ai entendu dire de vous. On m'a raconté, et cela me chagrine, que vous voulez quitter le roi. D'où vous vient cette idée, qu'avez-vous sur le cœur ? Je ne vous trouve plus du tout sage, ni courtois, comme c'était le cas. Je veux vous prier de rester. Restez, Keu, je vous en prie ! — Dame, répond-il, excusez-moi, mais je ne resterai pas. » Alors la reine le supplie encore, accompagnée de tous les chevaliers en chœur, mais Keu lui dit qu'elle se fatigue en pure perte. Alors la reine se laisse tomber à ses pieds de toute sa hauteur. Keu la prie de se relever ; mais elle dit qu'elle ne le fera pas avant qu'il ne lui accorde ce qu'elle veut. Alors Keu lui promet de rester, à condition que le roi lui accorde d'avance ce qu'il voudra, et qu'elle-même en fasse autant[1]. « Keu, fait-elle, quelle que soit votre idée, moi et lui nous en serons d'accord ; venez donc, et nous lui dirons que vous êtes resté à cette condition. » Keu et la reine vont trouver le roi : « Sire, dit la reine, j'ai retenu Keu, non sans mal ; mais je vous le remets à une condition, c'est que vous ferez ce qu'il dira. » Le roi pousse un soupir de satisfaction et dit qu'il se soumettra à sa volonté, quoi qu'il lui demande. « Sire, répond-il, sachez donc ce que je veux, et la nature du don que vous m'avez promis. Je trouve que j'ai beaucoup de chance puisque je l'aurai grâce à vous : c'est la reine ici présente dont vous m'avez confié la protection. Nous irons donc à la recherche du chevalier qui nous attend dans la forêt. » Le roi en est affligé, et pourtant il l'investit de cette mission, car jamais il ne revient sur ce qu'il a promis, mais il le fait avec tristesse et douleur, comme on peut bien le voir à sa mine. La reine aussi est très affligée, et tout le monde au palais convient que c'est l'orgueil, la présomption et la déraison qui ont inspiré à Keu cette demande en forme de requête. Le roi a pris la reine par la main, et il lui a dit : « Dame, sans conteste il faut vous en aller avec Keu. — Allons, confiez-la-moi, dit Keu, et ne craignez rien, car je saurai bien vous la ramener saine et sauve. » Le roi la lui remet et l'autre l'emmène. Derrière eux, tous sortent du palais. Sachez aussi que l'on eut vite fait d'armer le sénéchal, et de lui amener son cheval au milieu de la cour, avec, à côté de lui, un palefroi convenant à une reine. La reine vient à son palefroi bien docile et ne tirant pas sur la bride ; très abattue, triste et poussant des soupirs, la reine monte à cheval, puis elle dit tout bas, pour qu'on ne l'entende pas : « Ah ! ami, si vous saviez, jamais vous ne me laisseriez, je crois, sans résistance faire un seul pas sous la conduite de Keu[1]. » Elle pensa l'avoir dit tout bas, mais le comte Guinables l'entendit, car il se trouvait près d'elle quand elle monta en selle. Au moment du départ, ce ne furent que lamentations de tous ceux et de toutes celles qui y assistèrent, comme si elle avait été mise en bière. Ils ne pensent pas qu'elle doive jamais revenir de leur vivant. Le sénéchal, mû par son orgueil, l'emmenait là où l'autre l'attendait. Mais nul ne s'affligeait assez pour se mêler de les suivre quand monseigneur Gauvain dit au roi son oncle, en confidence : « Sire, vous avez agi bien naïvement, et j'en suis très étonné ; mais, si vous acceptiez mon conseil, pendant qu'ils sont encore assez près, vous et moi nous pourrions les suivre, avec tous ceux qui voudraient bien venir. Je ne saurais m'empêcher d'aller à leur recherche immédiatement. Il ne serait pas convenable de ne pas aller à leur suite, au moins jusqu'à ce que nous sachions ce que la reine va devenir, et comment Keu s'en sortira. — Allons-y, beau neveu, fait le roi. Vous avez parlé fort courtoisement et, puisque vous avez pris l'initiative, donnez l'ordre que l'on sorte les chevaux, qu'on leur mette brides et selles, de sorte qu'il n'y ait plus qu'à monter. » Les chevaux sont bientôt amenés, harnachés et sellés. Le roi monte le premier, puis monseigneur Gauvain et tous les autres à qui mieux mieux. Chacun veut être de la partie, mais en allant à sa guise. Il y en avait qui étaient armés, mais beaucoup allaient sans armes. Monseigneur Gauvain, lui, était armé, et il avait aussi pris deux écuyers pour conduire par la bride deux destriers. Alors qu'ils approchaient de la forêt, ils en voient surgir le cheval de Keu, ils l'ont bien reconnu, et ils remarquent que les rênes ont été toutes deux tranchées de la bride. Le cheval revenait tout seul, avec l'étrivière toute tachée de sang ; et la selle avait son arçon de derrière tout brisé et déchiqueté. Il n'est personne qui n'en soit attristé, on échange des hochements de tête, on se pousse du coude. Monseigneur Gauvain chevauchait loin en avant du gros de la troupe. Il ne tarda guère à voir venir un chevalier au pas, sur un cheval mal en point, harassé, haletant et baigné de sueur[1]. Le chevalier salua monseigneur Gauvain le premier, et celui-ci lui rendit son salut. Alors le chevalier s'arrêta, et reconnaissant monseigneur Gauvain il lui dit : « Seigneur, ne voyez-vous pas que mon cheval est trempé de sueur et qu'on ne peut plus rien en tirer ? Or je pense que ces deux destriers sont à vous ; je vous prierais donc, en m'engageant à vous rendre le service et à vous en récompenser, de me prêter ou de me donner l'un des deux, n'importe lequel. — Choisissez donc, lui répondit-il, entre les deux, selon votre préférence. » Mais lui, qui en avait grand besoin, ne prit pas le temps de chercher le meilleur, ni le plus beau, ni le plus grand, il monta tout de suite sur celui qu'il trouva le plus près de lui, et il le mit aussitôt au galop. Quant au cheval qu'il venait de quitter, il s'écroula, mort, car il l'avait toute la journée fort éprouvé, fatigué, et surmené. Sans jamais s'arrêter le chevalier s'en alla tout armé dans la forêt, et monseigneur Gauvain le suivit à distance en une furieuse poursuite. Arrivé sur une hauteur, il descendit la pente, et après une longue traite il retrouva mort le destrier qu'il avait donné au chevalier. Il y avait là des traces d'un intense piétinement de chevaux, et des débris d'écus et de lances alentour ; on avait bien l'impression que plusieurs chevaliers y avaient pris part à une grande bataille. Il fut très contrarié et mécontent de ne pas avoir été là. Il ne s'est pas arrêté longtemps, mais il reprit sa route à vive allure jusqu'au moment où il put par aventure apercevoir le chevalier, tout seul, à pied, tout armé, le heaume lacé, l'écu au col, l'épée au côté ; il venait de rejoindre une charrette[1]. On se servait alors des charrettes comme aujourd'hui on se sert des piloris, et dans chaque bonne ville où l'on en compte maintenant trois mille, il n'y en avait qu'une en ce temps-là, et elle était utilisée également, comme aujourd'hui le pilori, pour les gens convaincus de meurtre ou de vol, pour ceux qui avaient perdu un combat judiciaire[1], pour les brigands et voleurs de grand chemin : tout repris de justice était placé sur la charrette et promené par toutes les rues ; dès lors il était déshonoré[2], interdit d'audience à la cour, et privé de toute marque d'estime et de sympathie. Parce que les charrettes de ce temps-là étaient ainsi terriblement mal famées, on commença à dire : « Quand charrette verras et rencontreras, signe-toi et souviens-toi de Dieu, de peur qu'il ne t'arrive malheur[3]. » Le chevalier qui s'avançait à pied et sans lance rejoignit la charrette où il aperçut un nain assis sur le brancard. Il tenait à la main, en bon charretier, une longue baguette. Alors le chevalier dit au nain : « Nain, pour Dieu, dis-moi donc si tu as vu passer par ici ma dame la reine. » Le nain — une sale engeance ! —, le misérable, refusa de lui en donner des nouvelles. « Si tu veux, dit-il, monter sur la charrette que je conduis, tu pourras savoir d'ici demain ce qu'est devenue la reine. » Sur le moment, le chevalier a poursuivi sa route sans y monter ; il a eu tort, tort d'avoir honte et de ne pas aussitôt sauter dans la charrette, car il le regrettera un jour[4]. Mais Raison, qui s'oppose à Amour, lui dit de ne pas monter, le retenant et lui enseignant de ne rien faire ni entreprendre qui puisse lui apporter honte ou reproche. Ce n'est pas du cœur mais de la bouche que vient ce discours que Raison ose lui tenir. Mais Amour, enfermé dans le cœur, l'exhorte et l'invite à monter tout de suite dans la charrette. Amour le veut, alors il y saute ; il n'a plus peur de la honte, puisque c'est l'ordre et la volonté d'Amour[5]. Cependant monseigneur Gauvain prend en chasse la charrette en piquant des deux et, en y trouvant assis le chevalier, il s'étonne. « Nain, dit-il alors, donne-moi des renseignements sur la reine, si tu sais quelque chose. — Si tu as pour toi, répondit le nain, autant de haine que le chevalier qui est assis là, monte avec lui à ta guise, et je t'emmènerai aussi. » En entendant cette proposition monseigneur Gauvain estima que ce serait une grande folie et il refusa d'y monter, car il perdrait au change en troquant un cheval contre une charrette. « Mais va donc là où tu voudras, et je te suivrai partout où tu iras[1]. »

Alors ils se mettent en route, l'un à cheval, les deux autres sur la charrette, mais en suivant ensemble le même chemin. Au crépuscule ils arrivèrent à un château, et sachez que ce château était imposant et magnifique. Tous trois entrent par l'une des portes. Ce chevalier, que l'autre amène sur sa charrette, étonne tout le monde ; mais au lieu de s'enquérir discrètement auprès de lui, ils l'accueillent avec des huées, petits et grands, vieillards et enfants, de rue en rue dans une grande clameur. Alors le chevalier s'entend dire beaucoup d'injures et d'insultes. Tous demandent : « À quel supplice va-t-on livrer ce chevalier ? Sera-t-il écorché, pendu, noyé, brûlé sur un bûcher d'épines ? Dis, nain, dis, toi qui le traînes ainsi, de quel crime l'a-t-on trouvé coupable ? Est-il convaincu de vol ? Est-ce un meurtrier, ou le vaincu d'un combat judiciaire ? » Le nain garde le silence, sans répondre quoi que ce soit. Il conduit le chevalier à son lieu d'hébergement, suivi de près par Gauvain : c'était une tour jouxtant la ville et de même niveau. D'un côté il y avait une prairie, et de l'autre une falaise de roche brune, escarpée, d'où la tour surplombait la vallée. Derrière la charrette Gauvain entra donc à cheval. Dans la grande salle ils rencontrèrent une demoiselle élégamment habillée, et dont la beauté n'avait pas de rivale dans la région ; ils voient venir avec elle deux jeunes filles, gentilles et belles. Dès qu'elles aperçurent monseigneur Gauvain, elles lui firent fête, le saluèrent puis posèrent des questions sur le chevalier. « Nain, qu'a fait de mal ce chevalier que tu transportes comme un infirme ? » L'autre, refusant de leur donner une explication, fit descendre le chevalier de la charrette puis s'en alla ; on ne sut où il était parti. Monseigneur Gauvain descendit de cheval. Alors deux jeunes gens s'avancèrent pour les désarmer tous les deux. La demoiselle leur fit apporter deux manteaux de fourrure d'écureuil qu'ils mirent sur leurs épaules. Quand l'heure du souper fut arrivée, un bon repas les attendait. La demoiselle se mit à table à côté de monseigneur Gauvain. Ils n'auraient rien gagné à vouloir changer de gîte pour trouver mieux, car ils y furent traités avec beaucoup d'égards, en charmante compagnie durant toute la nuit, grâce à la demoiselle.

Quand ils eurent assez mangé, on leur prépara dans une chambre deux lits hauts et longs ; il y en avait un troisième, à côté, plus beau et plus somptueux que les autres, car, selon ce que dit le conte[1], on l'avait pourvu de tout le confort imaginable pour un lit. Arrivée l'heure du coucher, la demoiselle conduisit les deux hôtes dont elle s'était occupée et, leur montrant les deux lits, très beaux, grands et larges, elle leur dit : « Ces deux lits, là-bas, ont été mis à votre disposition ; quant à celui qui est de ce côté-ci il est réservé à celui qui l'a mérité : il n'a pas été fait pour vous[2]. » Alors le chevalier qui était arrivé sur la charrette répondit, plein de dédain et de mépris pour l'interdiction formulée par la demoiselle : « Dites-moi donc, sous quel prétexte ce lit est-il interdit ? » Elle répondit sans prendre le temps de réfléchir (sa réponse était toute prête) : « Ce n'est pas à vous qu'il appartient de poser la question. Le déshonneur s'attache à tout chevalier de ce monde une fois qu'il a été en charrette : il n'est pas autorisé à poser la question que vous venez de me poser, encore moins à prétendre y coucher ; il pourrait très vite le payer cher. Je ne l'ai pas fait préparer si richement pour vous y faire coucher. Vous pourriez payer très cher ne fût-ce qu'une telle intention. — Vous verrez bien, fait-il, le moment venu. — Je le verrai ? — Oui. — Attendons la démonstration. — Je ne sais qui va en faire les frais, sur ma tête, dit le chevalier ! Mais, s'en fâche ou s'en chagrine qui voudra, c'est dans ce lit que je veux me coucher et reposer tout à loisir. »

Dès qu'il a enlevé ses chausses, c'est dans le lit qui était plus long et plus haut que les deux autres d'une demi-aune[1] qu'il se couche, sous une couverture faite d'un brocart de soie jaune constellé d'or. La doublure n'était pas faite d'une fourrure d'écureuil de mauvaise qualité, mais bien de zibeline : elle aurait pu convenir à un roi, cette couverture qu'il avait tirée sur lui ; et le lit lui-même n'était pas fait de chaume, de paille, ni de vieilles nattes. À minuit, des lattes du toit fondit une lance comme la foudre, pointe en bas, sur le chevalier, menaçant de le clouer sur place par les flancs à la couverture, aux draps blancs et au lit. Le pennon attaché à la lance était tout enflammé. Le feu prit à la couverture, aux draps et à l'ensemble du lit. Mais le fer de la lance frôla le chevalier de côté en lui ôtant un peu de peau, sans toutefois le blesser. Alors le chevalier s'est redressé : il éteint le feu, prend la lance et l'envoie au milieu de la salle, sans pour autant abandonner son lit ; il s'est recouché et s'est rendormi aussi tranquillement que la première fois[1].

Le lendemain matin, au lever du jour, la demoiselle de la tour, qui leur avait fait préparer une messe, les fit réveiller et se lever. Quand on leur eut chanté la messe, le chevalier mélancolique (celui qui s'était assis sur la charrette) vint aux fenêtres donnant sur la prairie, et il regarda en bas vers les prés. À la fenêtre voisine s'était installée la jeune fille, et monseigneur Gauvain s'était entretenu avec elle un bon moment, dans un coin, de je ne sais quoi. Je ne sais vraiment pas le sujet de leur conversation. Mais ils étaient restés appuyés à la fenêtre pendant un certain temps quand ils virent en bas par les prés, le long de la rivière, emporter une bière ; il y avait dedans un chevalier, et à côté trois demoiselles menaient grand deuil très bruyamment[2]. Derrière la bière ils voient venir un cortège précédé d'un chevalier de grande taille qui emmenait à sa gauche une belle dame. De sa fenêtre notre chevalier la reconnut : c'était la reine. Il la suivit constamment du regard, fasciné, ravi, le plus longtemps possible. Et quand il lui fut impossible de la voir encore, il voulut se laisser tomber, son corps basculant dans le vide. Il avait déjà le corps à moitié hors de la fenêtre quand monseigneur Gauvain l'aperçut. Il le tira en arrière et lui dit : « Par pitié, seigneur, tenez-vous tranquille ; par Dieu, n'allez pas vous mettre en tête de commettre une telle folie. Vous n'avez aucune raison de haïr votre vie.

— Si, il a raison, réplique la demoiselle. Ne va-t-on pas partout apprendre la fâcheuse nouvelle de son voyage en charrette ? Il doit bien désirer mourir ; pour lui la mort est préférable à la vie puisqu'il doit vivre désormais dans la honte, le mépris et le malheur. » Sur ce, les deux chevaliers demandèrent leurs armes, et ils revêtirent leur armure. Alors la demoiselle fit montre de courtoisie, noblesse et largesse car, après avoir beaucoup raillé et rabroué le chevalier, elle lui donna un cheval et une lance en marque d'affection et de bon accord. Les chevaliers prirent congé de la demoiselle en hommes courtois et bien élevés, et après l'avoir saluée ils partirent dans la direction qu'ils avaient vu prendre par le cortège. Mais ils sortirent si vite du château que personne ne put leur adresser la parole. Ils passèrent rapidement à l'endroit où ils avaient aperçu la reine, sans pouvoir rattraper le cortège qui était parti au galop. Ils quittèrent les prés pour franchir une barrière et entrer dans un bois où ils trouvèrent un chemin empierré. Ils ont ainsi voyagé dans la forêt jusqu'à la première heure du jour. Ils rencontrent alors à un carrefour une demoiselle qu'ils ont tous les deux saluée[1]. Et ils la pressent de questions pour qu'elle leur dise, si elle le sait, où l'on a emmené la reine. Elle répond avec prudence : « Je pourrais bien, moyennant certaines assurances de votre part, vous mettre dans le droit chemin et sur la bonne voie ; je vous dirais le nom du pays et celui du chevalier qui l'emmène. Mais il faudrait beaucoup d'endurance à celui qui voudrait entrer dans ce pays ! De rudes épreuves l'attendraient avant qu'il n'y pénètre. — Demoiselle, lui dit monseigneur Gauvain, avec l'aide de Dieu je puis vous assurer sans réserve que je mettrai à votre service, quand il vous plaira, tout mon pouvoir, pourvu que vous me disiez la vérité. » Quant à celui qui avait été sur la charrette il ne l'assure pas de tout son pouvoir, mais il affirme, avec la noblesse et la hardiesse que donne Amour en toute circonstance, qu'il lui promet tout ce qu'elle voudra et se met entièrement à sa disposition. « Je vais donc tout vous dire », fait la demoiselle qui commence alors à leur raconter : « Ma foi, seigneurs, Méléagant, un chevalier très fort et de très haute taille, fils du roi de Gorre, s'est emparé de la reine et il la retient au royaume dont nul étranger ne retourne, mais où il se trouve contraint à passer ses jours dans la servitude et l'exil[1]. » Alors notre chevalier lui demande à son tour : « Demoiselle, où se trouve cette terre ? Où chercher le chemin qui y conduit ? — Vous le saurez bientôt, répond la demoiselle, mais, sachez-le, vous y rencontrerez beaucoup d'obstacles et de passages dangereux, car on n'y entre pas facilement sans l'autorisation du roi ; le roi s'appelle Bademagu. On peut entrer, cependant, par deux itinéraires périlleux et deux passages effrayants[2]. L'un s'appelle le Pont Immergé, parce que ce pont passe entre deux eaux, à égale distance de la surface et du fond, avec ni plus ni moins d'eau de ce côté que de l'autre, et il n'a qu'un pied et demi de large, et autant en épaisseur. Il y a de quoi refuser cette perspective et encore est-ce la moins périlleuse. Et il y a beaucoup d'autres aventures entre ces deux chemins, dont je ne parle pas. L'autre pont, de loin le plus difficile et le plus périlleux, n'a en effet jamais été franchi par un homme. Il est tranchant comme une épée et pour cette raison les gens l'appellent le Pont de l'Épée. Je vous ai conté toute la vérité qu'il est en mon pouvoir de vous dire. — Demoiselle, lui redemande le chevalier, voulez-vous bien nous indiquer ces deux chemins ? — Voici la voie directe, répond la demoiselle, conduisant au Pont sous l'Eau, et voilà celle qui conduit au Pont de l'Épée. » Alors le chevalier qui s'était fait charretier dit à l'autre : « Seigneur, je vous laisse le choix sans arrière-pensée : prenez l'un de ces deux chemins, et cédez-moi l'autre ; prenez celui que vous préférez. — Ma foi, fait monseigneur Gauvain, il y a bien des périls et des épreuves dans l'un et l'autre passages. Pour choisir je manque de compétence, et je ne sais de quel côté serait mon avantage. Mais je n'ai pas le droit de tergiverser puisque vous m'avez laissé le choix : je me destine au Pont sous l'Eau. — Il est donc juste que je m'en aille au Pont de l'Épée, sans discussion, fait l'autre, et je vais m'y employer. » Alors ils se séparent tous les trois en se recommandant mutuellement à Dieu, très sincèrement. Au moment où elle les voit s'en aller, la demoiselle leur dit : « Chacun de vous doit me donner en échange une récompense à mon gré, quelle que soit l'heure où je voudrai l'obtenir ; veillez à ne pas l'oublier[1] ! — Nous nous en garderons bien, douce amie », font les deux chevaliers. Alors chacun s'en va de son côté. L'homme de la charrette est plongé dans sa méditation en homme sans force et sans défense envers Amour qui le gouverne. Et sa méditation est telle qu'il en oublie qui il est[2] : il ne sait s'il est ou s'il n'est pas, il ne sait son nom, il ne sait s'il est armé ou non, il ne sait où il va ni d'où il vient. Il ne se souvient de rien sauf d'une seule personne, et c'est pour elle qu'il a oublié tout le reste ; c'est à elle seule qu'il pense si intensément qu'il n'entend, ne voit ni ne comprend rien. Cependant son cheval l'emporte à toute vitesse, sans prendre les chemins détournés, mais sur la meilleure route, la plus directe. Et le cheval fait tant et si bien que, d'aventure, il l'a conduit jusqu'à une lande où il y avait un gué[1]. Sur la rive opposée ce gué était gardé par un chevalier en armes. Une demoiselle était venue sur son palefroi lui tenir compagnie. Il était déjà presque trois heures de l'après-midi et le chevalier ne se séparait ni ne se lassait de sa méditation. Le cheval vit l'eau du gué, belle et claire ; comme il avait très soif, il courut vers cette eau, à peine l'eut-il vue. Mais celui qui se trouvait sur l'autre rive s'écria : « Chevalier, je garde le gué, et je te l'interdis. » Notre chevalier ne comprenait ni n'entendait rien, toujours absorbé dans sa méditation, et pendant ce temps son cheval galope vers l'eau à toute vitesse. L'autre lui crie de le retenir : « Laisse le gué, ce sera plus prudent de ta part, car ce n'est pas là qu'il faut traverser. » Et il jure sur son propre cœur qu'il l'attaquera s'il y pénètre. Mais le chevalier ne l'écoute pas. Alors pour la troisième fois l'autre s'écrie : « Chevalier, ne pénétrez pas dans le gué malgré ma défense et ma volonté car, sur ma tête, je vous attaquerai dès que je vous verrai dans le gué. » Mais la méditation de notre chevalier l'empêche d'entendre, et le cheval à l'instant même se jette à l'eau depuis la berge et commence à boire avidement. L'autre dit qu'il va le payer cher, que ni son écu ni le haubert qu'il a revêtu ne le protégeront. Alors il met son cheval au galop, et puis le fait accélérer jusqu'au grand galop et frappe le chevalier si fort qu'il l'abat de tout son long au milieu du gué qu'il lui avait interdit. Du même coup sa lance s'envole ainsi que l'écu qui était suspendu à son col. Le contact de l'eau le fait tressaillir ; encore tout étourdi il se relève d'un bond comme quelqu'un qui se réveille, il écoute, il regarde en se demandant qui peut bien l'avoir frappé. C'est alors qu'il aperçoit le chevalier : « Vassal, lui cria-t-il, pourquoi m'avez-vous frappé, dites-le-moi, alors que je ne vous savais pas devant moi, et que je ne vous avais rien fait de mal ? — Si, ma foi, c'est bien ce qui s'est passé, fait l'autre ; ne vous êtes-vous pas moqué de moi, puisque je vous ai interdit le gué trois fois, en criant le plus fort possible ? Vous avez bien entendu qu'on vous défiait au moins deux ou trois fois, et alors vous y êtes entré malgré moi, et j'ai bien dit que je vous attaquerais dès que je vous verrais avancer dans l'eau. » Notre chevalier réplique alors : « Au diable si on vous a entendu, ou même aperçu jamais, et je parle pour moi ! Il se peut bien que vous m'ayez interdit le gué, mais je méditais ; sachez bien que vous regretteriez de m'avoir frappé, si seulement je pouvais saisir votre bride au moins d'une de mes mains. — Et qu'arriverait-il donc ? Tu pourras me tenir tout de suite à la bride, si tu oses la prendre. Je compte pour trois fois rien ta menace et ton orgueil. — C'est tout ce que je veux : quoi qu'il advienne, je voudrais déjà te tenir ainsi. » Alors le chevalier s'avance au milieu du gué, et l'autre l'attrape par la rêne de la main gauche et par la cuisse de la main droite ; et alors il pèse, il tire et il l'étreint si fort qu'il lui arrache une plainte, car l'autre a l'impression qu'il lui arrache du corps toute la cuisse. Il le supplie d'arrêter, disant : « Chevalier, s'il te plaît de combattre avec moi à jeu égal reprends ton écu, ton cheval et ta lance, et faisons une joute. — Je n'en ferai rien, répond-il, car je pense que tu t'enfuirais dès que tu m'aurais échappé. » Ces mots furent reçus comme une insulte par l'autre chevalier qui lui répliqua : « Chevalier, monte sur ton cheval tranquillement, et je te promets loyalement de ne pas chercher à m'enfuir. Tu m'as insulté, et j'en suis irrité. — Auparavant, répond-il encore une fois, il faut que tu me donnes ta parole. Je veux que tu me jures que tu ne t'enfuiras ni te déroberas, et que tu ne me toucheras ni t'approcheras de moi avant que je ne me sois remis en selle. Je t'aurai fait un beau cadeau en te laissant aller, alors que je te tiens. » Il lui donna sa parole, il ne pouvait faire autrement, et une fois obtenu ce serment, son adversaire prit son écu et sa lance qui allaient au fil de l'eau, et qui, portés par le courant, étaient déjà descendus beaucoup plus bas. Puis il retourne récupérer son cheval. L'ayant retrouvé, il se mit en selle, prit son écu par les poignées et mit sa lance en arrêt sur l'arçon. Ensuite ils s'élancèrent l'un contre l'autre à toute la vitesse de leurs chevaux. Le défenseur du gué lance la première attaque et frappe son adversaire si brutalement que sa lance vole en éclats. Et ce dernier le frappant à son tour l'envoya s'étendre au milieu de la rivière si bien que l'eau se referma sur lui. Puis il recula et descendit de cheval, car repousser et chasser une centaine d'ennemis de ce genre ne lui posait pas de problème. Il dégaina son épée tandis que l'autre, s'étant relevé d'un bond, tira la sienne resplendissante et sûre. Alors commença le corps à corps. Les écus aux reflets dorés, tendus en avant, les couvraient. Les épées se sont mises à l'ouvrage sans trêve ni repos. Ils ne craignent pas de se donner des coups terribles. Mais le combat se prolonge et un sentiment de honte envahit le cœur du chevalier de la charrette ; il se dit qu'il aura du mal à s'acquitter de sa dette, celle qui l'a lancé dans ce chemin de l'aventure, s'il lui faut si longtemps pour venir à bout d'un seul chevalier. Hier encore, s'il en avait rencontré dans un vallon une centaine comme celui-là, il croit, il pense qu'ils n'auraient pas tenu devant lui ; il est chagriné et irrité de se voir si mal parti, prodiguant en vain ses coups et gaspillant sa journée. Alors il repart à l'attaque et presse tant son adversaire que celui-ci perd pied puis s'enfuit ; il lui cède le passage du gué, bien à contrecœur. Cependant, comme l'autre poursuit son assaut, il finit par tomber à quatre pattes. Alors notre charretier le rejoint et jure sur tout ce qui lui passe par la tête qu'il va se repentir de l'avoir fait tomber dans le gué et de l'avoir arraché à sa méditation. La demoiselle que le chevalier avait amenée avec lui entendit et saisit bien les menaces. Elle eut grand-peur et le pria de renoncer pour elle à le tuer. Il répliqua qu'il le ferait quand même, ne pouvant lui pardonner la grande honte qu'il lui avait fait subir. Il arriva sur lui, l'épée dégainée, et l'autre épouvanté l'implora : « Pour l'amour de Dieu et pour moi accordez-lui cette grâce que je vous demande aussi. — Que Dieu m'en soit témoin, si grande qu'ait pu être l'offense, si l'on me demande pardon pour l'amour de Dieu, comme il est juste, je l'accorde, mais une seule fois. Il en ira de même pour toi, car je ne dois te le refuser puisque tu me l'as demandé. Mais auparavant tu vas me promettre d'aller te constituer prisonnier là où je voudrai, quand je l'exigerai. » Et l'autre en fit le serment, mais bien à contrecœur. La demoiselle reprit la parole : « Chevalier, s'il te plaît, puisqu'il t'a demandé grâce et que tu la lui as accordée, si tu as jamais libéré un prisonnier, libère-moi celui-là. Accorde-moi qu'il soit tenu pour quitte de sa prison, étant convenu qu'au moment opportun je te rendrai ce service sous la forme qu'il te plaira dans la mesure de mes moyens. » Alors il devina qui elle était[1] d'après les paroles qu'elle venait de prononcer et il lui remit le prisonnier libre de toute servitude. Mais elle éprouvait quelque honte et même de l'angoisse à la pensée qu'il avait pu la reconnaître, ce qu'elle aurait voulu éviter. Et lui se mit aussitôt en route ; et le couple le recommanda à Dieu en prenant congé de lui, ce qu'il leur accorda. Et puis il chemina jusqu'assez tard dans la soirée, quand il rencontra une demoiselle très belle et très charmante, et fort élégamment vêtue. La demoiselle le salua en personne sage et bien éduquée, et il lui répondit : « Que Dieu vous donne, demoiselle, bonheur et santé. — Seigneur, reprit-elle, ma maison est à votre disposition tout près d'ici, s'il vous convient d'y prendre logis. Mais la condition pour vous y loger est que vous vous coucherez avec moi, c'est à prendre ou à laisser[2]. » Bien des gens l'auraient cinq cents fois remerciée pour cette offre, mais lui en fut tout assombri, et il lui donna une réponse bien différente : « Demoiselle, je vous remercie pour votre offre d'hospitalité, et je l'apprécie beaucoup, mais, si vous permettiez, en ce qui concerne le coucher, je m'abstiendrais[3]. — Si vous refusez cette condition, je ne pourrai rien faire pour vous, dit la demoiselle, sur la prunelle de mes yeux. »

Et lui, faute de mieux, accepte ses conditions. Son cœur est chagriné qu'il ait accepté et, si pour le moment ce n'est qu'une blessure, au coucher ce sera la désolation. Grand dépit et grande peine attendent alors la demoiselle qui l'emmène. Peut-être l'aime-t-elle à tel point qu'elle ne voudra pas l'en tenir quitte. Mais comme il s'était soumis à toutes ses volontés elle l'emmène jusqu'à un domaine clos, il n'y en avait pas de plus beau jusqu'en Thessalie, car il était entouré de hauts murs et d'un fossé profond. Il n'y avait aucun homme à l'intérieur, sauf ceux qu'elle y amenait.

Cette demoiselle s'était fait aménager son séjour avec de belles chambres et une très grande salle d'apparat. Chevauchant le long d'une rivière, ils arrivèrent à cette demeure. On leur avait préparé l'entrée en descendant le pont-levis. Ils ont passé le pont et trouvé la grande salle ouverte. Cette salle avait un toit de tuiles. La porte était ouverte, ils entrent et voient une table couverte d'une grande nappe bien large. On y avait déjà apporté les plats, les chandelles allumées dans les chandeliers, les hanaps d'argent doré et deux pots, l'un plein de vin de mûres et l'autre d'un capiteux vin blanc. Contre la table, au bout du banc, ils trouvèrent deux bassins pleins d'eau chaude pour se laver les mains, et à l'autre bout une serviette finement ouvragée et bien blanche, pour les essuyer. Mais au premier regard n'apparaissait à l'intérieur ni valet, ni serviteur ni écuyer. Le chevalier enleva de son col son écu et le pendit à un crochet ; il prit sa lance et l'engagea par le haut dans un porte-lance. Alors il sauta en bas de son cheval, et la demoiselle fit de même. Le chevalier apprécia qu'elle ne l'attendît point pour l'aider à descendre. Dès qu'elle fut descendue, elle courut sans tarder jusqu'à une chambre d'où elle lui rapporta un court manteau d'écarlate[1] dont elle le revêtit. La salle n'était nullement obscure malgré la nuit (déjà luisaient les étoiles), car il y avait là tant de grosses torches qui brûlaient qu'il régnait une grande clarté. Quand elle lui eut attaché le manteau aux épaules, elle lui dit : « Ami, voici l'eau et la serviette ; personne d'autre n'est là pour vous les présenter, vous voyez que je suis seule ici[2]. Lavez-vous les mains et asseyez-vous dès que vous en aurez l'envie et le désir. Mais l'heure et le service l'exigent, comme vous pouvez le constater. » Il se lava les mains, puis alla volontiers s'asseoir, car cela lui convenait, et elle s'assit à côté de lui. Ils mangèrent et burent ensemble. Enfin il fut temps de se lever de table.

Cela fait, la jeune fille dit au chevalier : « Seigneur, allez prendre un peu l'air, si cela ne vous contrarie pas, et restez seulement, s'il vous plaît, jusqu'au moment où, à votre avis, j'aurai eu le temps de me coucher. N'y voyez que votre avantage, car ce sera alors le moment de venir jusqu'à moi pour tenir votre promesse. — Je vous tiendrai parole, répond-il, et je reviendrai au moment que je jugerai opportun. » Il sortit donc, et resta longtemps dans la cour, mais il fallut bien revenir pour tenir sa promesse. Cependant, rentré dans la salle, il n'y trouva pas celle qui se voulait son amie ; elle n'était plus là. Ne la voyant plus, il se dit : « Où qu'elle soit, je vais la chercher jusqu'à ce que je la retrouve. » Sans plus tarder il se met en quête, pour tenir sa promesse. Au moment où il pénètre dans une chambre, il entend crier très fort une jeune fille, et c'était précisément celle avec qui il devait se coucher. Alors il voit que la porte d'une autre chambre est ouverte, il s'avance dans cette direction et il aperçoit droit devant lui un chevalier qui l'avait renversée et la tenait en travers du lit, robe retroussée. Et elle, comme certaine qu'il viendrait à son secours, criait très fort : « À l'aide ! à l'aide ! chevalier, au nom de l'hospitalité que je t'ai accordée. Si tu ne me délivres pas de celui qui est sur moi, il va me déshonorer en ta présence. Tu dois coucher avec moi, comme tu me l'as promis ; le laisseras-tu donc me faire violence, sous tes yeux ? Noble chevalier, fais un effort, dépêche-toi de me porter secours. » Il voit que l'autre tenait sans pudeur la demoiselle déshabillée jusqu'au nombril. Il rougit de honte et s'indigne qu'il la tienne nue au contact de sa propre nudité. Mais cela n'éveillait en lui aucun désir, et il n'y avait en lui aucune trace de jalousie[1]. À l'entrée de la chambre il y avait des portiers bien armés, deux chevaliers avec une épée nue à la main. Derrière eux, quatre sergents tenant chacun une hache capable de vous trancher le cou d'une vache aussi facilement qu'une racine de genévrier ou de genêt. Notre chevalier s'arrêta à la porte, se disant : « Dieu, que vais-je pouvoir faire ? Je me suis mis en route pour une cause qui est celle de la reine Guenièvre, et rien de moins. Je ne dois pas avoir un cœur de lièvre dans cette quête que j'ai entreprise pour elle. Si c'est Lâcheté qui me prête son courage, et si je lui obéis, je n'atteindrai pas le but poursuivi ; je suis déshonoré si je reste cloué là. Mais c'est vraiment indigne de ma part que d'avoir parlé de rester cloué ; j'en ai le cœur triste et assombri, oui, j'en ai honte, j'en ai un tel désespoir que je voudrais mourir pour m'être tant attardé ici. Et que Dieu n'ait jamais pitié de moi si mes propos sont dictés par quelque forme d'orgueil, et s'il n'est pas vrai que je préfère mourir avec honneur à vivre dans la honte ! Si le passage m'était laissé libre, quel serait mon mérite, ces gens me donnant l'autorisation de passer sans opposition ? Alors pourrait aussi bien passer, sans mentir, l'homme le plus poltron du monde. Cependant j'entends cette malheureuse qui m'implore avec insistance, invoquant la promesse que je lui ai faite et m'adressant de sévères reproches. » Aussitôt il s'avance jusqu'à la porte, tendant le cou et la tête, et regarde en haut vers le plafond : il voit s'abattre les épées ; il se recule ; les chevaliers n'ont pu retenir leur coup. Ils ont mis un tel élan pour frapper qu'ils fichent en terre leurs épées qui toutes deux volent en éclats. Voyant qu'elles étaient mises en morceaux, il attacha moins d'importance aux haches ; il avait moins d'appréhension et de peur à l'égard de ces armes. Alors il bondit au milieu des sergents, frappa l'un d'un coude et le second, de l'autre. Ainsi les deux qu'il rencontra les premiers furent attaqués des coudes et des bras, et étendus par terre. Le troisième le manqua. Quant au quatrième, l'attaquant à son tour il trancha d'un coup son manteau et sa chemise et érafla la peau tout le long de son épaule, faisant perler le sang qui se mit à couler. Mais lui ne ralentit pas pour autant, et sans se plaindre de sa blessure il continua à plus grandes enjambées et saisit par les tempes celui qui violentait son hôtesse. Il allait pouvoir s'acquitter de sa promesse et remplir son contrat avant de s'en aller. Bon gré mal gré, l'homme dut se redresser. Celui qui avait manqué son coup approchait le plus vite qu'il pouvait, et il leva sa hache pour frapper de nouveau, pensant bien lui fendre la tête, d'un coup, jusqu'aux dents. Alors, habile à se défendre, notre chevalier brandit celui qu'il tenait et c'est lui qui reçut le coup de hache à la jointure du cou et de l'épaule, qui se séparèrent. Et notre chevalier lui prit sa hache en la lui arrachant vivement des mains, laissant tomber celui qu'il tenait, car il devait se défendre contre les deux autres qui revenaient à l'attaque et contre les trois sergents. Cruel assaut auquel il échappe d'un bond qui le met entre le lit et le mur. Alors il leur crie : « Or çà, tous à moi ! même si vous étiez vingt-sept, maintenant que j'ai assez de recul, vous allez devoir vous battre et vous ne viendrez pas à bout de ma résistance. » Alors la jeune fille qui le regardait faire lui dit : « Sur la prunelle de mes yeux, vous n'avez plus rien à craindre avec moi où que je sois. » Elle congédia aussitôt les chevaliers et les sergents, et ils se retirèrent de la chambre sans délai ni contestation[1]. Et la demoiselle reprit : « Seigneur, vous m'avez bien disputée à toute ma maisonnée. Venez maintenant, je vous emmène. » Ils regagnèrent la grande salle la main dans la main, mais lui n'en était pas ravi car il se serait bien passé de sa compagnie.

Un lit avait été préparé au milieu de la salle avec des draps tout propres, blancs, larges et fins. On n'y avait pas mis une vulgaire paillasse, ni une couette rugueuse. On avait étendu sur la couche une couverture faite d'une double étoffe de soie. Et c'est là que la demoiselle se coucha, mais sans enlever sa chemise. De son côté, il a dû faire un gros effort pour enlever ses chausses et se déshabiller : l'angoisse le fait transpirer ; toutefois, malgré l'angoisse, c'est sa promesse qui l'emporte et brise sa résistance. Est-ce donc un coup de force ? Autant dire l'équivalent : c'est contraint et forcé qu'il lui faut aller se coucher avec la demoiselle. Sa promesse l'exige et le réclame. Il se couche en prenant son temps, mais sans retirer sa chemise, pas plus qu'elle ne l'a fait[1]. Il prend bien garde de ne pas la toucher mais s'en tient éloigné, couché sur le dos, sans dire un mot comme un frère convers à qui il est interdit de parler une fois qu'il est allongé dans son lit[2]. Il ne tourne son regard ni vers elle ni de l'autre côté. Il ne peut lui faire bon visage. Pourquoi ? Il ne peut arracher de son cœur un autre objet qui accapare ses pensées. D'ailleurs ne plaît ni ne convient forcément à chacun tout ce qui est beau et charmant. Le chevalier n'a qu'un cœur, qui en fait ne lui appartient plus, mais a été réservé à quelqu'un, si bien qu'il ne peut plus le prêter à une autre. Se fixer en un seul lieu, c'est la loi d'Amour qui gouverne tous les cœurs[3]. Tous ? non, mais seulement ceux que cette divinité estime. On doit donc s'estimer davantage si elle daigne vous gouverner. Le cœur de ce chevalier était si estimé d'Amour qu'il lui était le plus soumis au monde, ce dont il était très fier. Aussi ne voudrais-je le blâmer d'éviter ce qu'Amour lui interdit et de s'appliquer à lui obéir. La jeune fille voit bien et comprend qu'il hait sa compagnie, qu'il s'en dispenserait volontiers, et qu'en tout cas il ne lui demanderait rien de plus, ne voulant pas s'unir à elle ; alors elle lui dit : « Si cela ne doit pas vous contrarier, je partirai d'ici. J'irai coucher dans ma chambre, vous vous sentirez plus à l'aise ; car je ne pense pas que vous trouviez beaucoup d'agrément en mes attentions ni en ma compagnie. N'ayez pas mauvaise opinion de moi si je vous dis ce que je pense. Maintenant prenez du repos, car vous avez si bien tenu la promesse que vous m'avez faite que je n'ai plus le droit d'exiger de vous davantage. Je veux donc vous recommander à Dieu, et puis je partirai. » Alors elle se lève. Le chevalier n'en est pas mécontent, et il la laisse volontiers s'en aller, en homme qui a placé ailleurs toute son affection. La demoiselle s'en rend bien compte, c'est pour elle une évidence. Elle regagne donc sa chambre et se couche toute nue. Alors elle se tient ce discours : « Depuis que j'ai connu mon premier chevalier, je n'en ai trouvé aucun valant la moitié d'un sou, sauf celui-ci, car, si je comprends et devine bien, il veut se consacrer à un grand dessein qui dépasse en danger et en difficulté tout ce qui ait jamais été entrepris par un chevalier. Que Dieu lui permette d'en venir à bout ! » Sur quoi elle s'endormit et resta au lit jusqu'au lever du jour.

Dès les premières lueurs de l'aube, elle se dépêche de se lever. De son côté le chevalier se réveille, s'habille et se prépare, revêtant son armure sans que personne ne l'aide. La demoiselle arrive alors, et voyant qu'il est déjà tout prêt, elle lui dit : « Que ce jour qui commence soit pour vous favorable. — Et qu'il en soit de même pour vous, demoiselle », reprend à son tour le chevalier. Il ajoute qu'il a hâte qu'on lui sorte son cheval. La jeune fille le lui fait amener et dit : « Seigneur, je vous accompagnerais longtemps en ce voyage, si vous osiez m'emmener et m'escorter selon les us et coutumes institués bien avant nous au royaume de Logres[1]. » En ce temps-là les us et coutumes voulaient qu'un chevalier, s'il rencontrait seule une demoiselle ou une jeune fille, se sentît obligé, autant que de ne pas se trancher la gorge, de lui témoigner un strict respect, s'il voulait garder sa bonne réputation ; mais s'il lui faisait violence, alors il était à jamais discrédité, banni de toutes les cours. Mais si elle était escortée par un autre chevalier, on pouvait si l'on voulait la lui disputer et la conquérir par les armes, et ensuite en faire ce que l'on voulait sans encourir honte ni blâme. C'est pour cette raison que la jeune fille lui dit que s'il osait et acceptait de l'escorter conformément à cette coutume, de façon qu'aucun autre chevalier ne pût lui nuire, elle s'en irait avec lui. Et il lui répondit : « Jamais personne ne vous fera de mal, je vous le garantis, s'il ne m'a pas fait d'abord un mauvais sort. — Dans ces conditions, fait-elle, je veux partir avec vous. » Elle fit seller son palefroi ; ses ordres furent immédiatement exécutés, et l'on sortit le palefroi comme le cheval du chevalier. Tous deux montèrent à cheval sans écuyer pour les aider, et ils partirent à vive allure. Elle lui adressa la parole mais comme il ne s'intéressait pas à ce qu'elle lui disait, il refusa de lui répondre. Penser lui plaît, parler l'ennuie. Amour lui rouvre souvent la plaie qu'il lui a faite. Aucun emplâtre n'avait jamais été mis pour soigner la blessure et guérir le malade, car celui-ci ne souhaitait ni ne voulait demander emplâtre ni médecin, du moment que la blessure ne s'aggravait pas ; il aurait plutôt recherché cette blessure. Ils allaient par voies et sentiers, en suivant le chemin le plus direct, quand ils aperçurent une source au milieu d'une prairie, avec une bordure de pierre[1]. Sur cette margelle, un peigne en ivoire doré avait été oublié par je ne sais qui. Jamais, depuis le temps du géant Ysoré[1], sage ni fou n'en a vu d'aussi beau. Aux dents du peigne étaient restés accrochés des cheveux de celle qui s'en était servie pour se peigner, au moins une demi-poignée.

Quand la demoiselle aperçut la source et sa margelle, elle voulut empêcher le chevalier de les voir ; alors elle prit un autre chemin. Et lui qui goûtait et savourait ses agréables pensées ne se rendit pas compte tout de suite qu'elle l'écartait du chemin ; mais quand il s'en aperçut, il craignit d'avoir été trompé, pensant qu'elle s'écartait et sortait de son chemin pour éviter quelque danger : « Arrêtez, demoiselle, fait-il. Vous vous trompez de chemin. Venez par ici ; on n'a jamais, je pense, pris la bonne direction en sortant de ce chemin-ci. — Seigneur, nous marcherons mieux par ici, répond la jeune fille, je le sais bien. — Je ne sais, reprend-il, quelle est votre idée, mais vous pouvez bien voir que c'est ici le chemin battu ; je m'y suis engagé et je ne vais pas maintenant prendre une autre direction. Allons, s'il vous plaît, venez par ici car je vais continuer par cette route. » Alors, en marchant, ils s'approchent de la margelle et le peigne est en vue : « Ah ! vraiment, que je me souvienne, fait le chevalier, je n'ai jamais vu un aussi beau peigne que celui-ci. — Donnez-le-moi, fait la jeune fille. — Volontiers, demoiselle. » Alors il se baisse et le prend. Une fois qu'il l'a dans ses mains, il le regarde longuement, et contemple les cheveux. Et elle se met à rire. Comme il le remarque, il lui demande de bien vouloir lui dire pourquoi elle a ri et elle répond : « N'en parlez pas. Je ne vous en dirai rien pour le moment. — Pourquoi ? — Parce que je n'en ai pas envie. » Sur cette réponse il la conjure avec la conviction d'un homme pour qui entre ami et amie, dans un sens ou dans l'autre, il ne peut y avoir de parjure en aucune façon : « Si vous aimez quelqu'un de tout votre cœur, je vous conjure, vous requiers et vous prie en son nom que vous ne m'en cachiez plus la raison. — Vous mettez trop de garanties à votre appel, dit-elle ; soit, je vais vous le dire, sans la moindre trace de mensonge : si j'ai quelque connaissance, ce peigne, que je sache, appartenait à la reine. Croyez-moi, les cheveux que vous voyez, si beaux, si clairs, et si brillants, sur le peigne qui les a retenus, viennent de la chevelure de la reine. Ils n'ont certainement pas poussé dans un autre herbage. — Ma foi, lui répondit le chevalier, il y a beaucoup de reines et de rois. De quelle reine voulez-vous parler ? — Ma foi, seigneur, de la femme du roi Arthur. » En entendant cette révélation le chevalier eut une faiblesse et dut s'appuyer devant lui à l'arçon de la selle, ce que voyant la demoiselle resta stupéfaite et ébahie, craignant de le voir tomber. Ne la blâmez pas si elle eut peur, car elle pensa qu'il était évanoui. Autant dire qu'il l'était, il s'en fallait de peu, avec la douleur qu'il avait au cœur ; il en perdit même l'usage de la parole et ses couleurs pendant un long moment. Alors la jeune fille descendit de cheval et elle courut aussi vite qu'elle put pour le retenir et lui porter secours, ne voulant pour rien au monde le voir tomber à terre. À sa vue il se sentit tout honteux et lui demanda : « Pour quelle raison êtes-vous venue me trouver ici ? » N'allez pas penser que la demoiselle lui ait avoué la vraie raison, car il en aurait eu honte et angoisse. Il aurait été blessé et gêné si on lui avait révélé la vérité. Aussi, se gardant de laisser transparaître cette vérité, elle lui dit en pesant ses mots : « Seigneur, je suis venue chercher ce peigne, et c'est pour cela que j'ai mis pied à terre ; j'en avais une telle envie que je n'ai eu de cesse que je l'eusse. » Et lui qui voulait bien qu'elle ait le peigne le lui donne, mais il en retire les cheveux si doucement qu'il n'en rompt aucun. Jamais on ne verra de regard d'homme honorer à ce point un objet, quand il commence à leur manifester son adoration : il les caressa plus de cent mille fois, de ses yeux, de sa bouche, de son front, de son visage. Il leur fait fête de toutes les façons ; c'est son bonheur, c'est sa richesse. Sur son sein, près du cœur, il les glisse entre sa chemise et sa chair. Il ne les aurait pas cédés pour un plein chariot d'émeraudes ou d'escarboucles. Il n'avait plus peur d'attraper d'ulcère ou d'autre maladie. Fi du diamargariton, de la pleuriche et de la thériaque, et même des prières à saint Martin et à saint Jacques[1] ! Maintenant il avait tellement foi en ces cheveux qu'il n'avait plus besoin d'autre aide. Mais quel était donc le pouvoir de ces cheveux ? On va me prendre pour un menteur et pour un sot si j'en dis la vérité. Tout ce qui peut s'accumuler aux grands jours de la foire du Lendit[2], le chevalier ne voudrait pas l'avoir à la place de ces cheveux qu'il a trouvés. Et si vous insistez pour savoir toute la vérité, l'or cent mille fois purifié, cent mille fois fondu, semblerait plus obscur que la nuit comparée à une belle journée d'été si, après les avoir rapprochés, on le comparait à ces cheveux. Mais pourquoi retarder encore mon histoire ? La jeune fille se remet vite en selle avec le peigne qu'elle emporte ; et le chevalier est transporté de joie à cause des cheveux qu'il garde sur sa poitrine. Après la plaine ils arrivent à une forêt et prennent un chemin de traverse qui va en se rétrécissant. Ils sont obligés d'avancer l'un derrière l'autre, puisqu'il n'est absolument plus possible de mener deux chevaux de front. La jeune fille avance devant son hôte à vive allure et sans changer de direction. À l'endroit où le passage était le plus étroit, ils voient arriver un chevalier. La demoiselle l'a tout de suite reconnu, du plus loin qu'elle l'a aperçu. Alors elle dit : « Seigneur chevalier, voyez-vous celui qui vient à notre rencontre tout armé et prêt pour la bataille ? Il pense à coup sûr m'emmener avec lui sans rencontrer de résistance. Je sais bien que c'est cela qu'il pense, car il m'aime, ce en quoi il n'est pas raisonnable ; en personne et par des messagers il me prie d'amour depuis bien longtemps. Mais mon amour lui est interdit, car je ne pourrais l'aimer à aucun prix. Par Dieu le secourable, je préférerais mourir que d'avoir avec lui des rapports amoureux quels qu'ils soient. Je sais bien qu'il éprouve pour le moment une joie aussi grande, des transports aussi violents que s'il m'avait déjà à sa disposition. Mais maintenant je vais voir ce que vous allez faire ; maintenant on va juger si vous êtes capable de prouesse. Maintenant je vais voir, maintenant on va juger si d'être escortée par vous suffira à mon salut. Si vous pouvez me protéger, alors je dirai sans mentir que vous êtes un preux, d'une très grande valeur. — Allez, allez ! » lui répondit-il. Et ces mots ont autant de force que s'il avait dit : « Peu m'importe, vous vous inquiétez pour rien, quoi que vous m'ayez dit. »

Tandis qu'ils parlaient ainsi, sans perdre de temps l'autre chevalier arrivait seul, au grand galop, dans leur direction. Il est d'autant plus pressé qu'il pensait ne pas perdre une bonne occasion, et il se dit bienheureux quand il voit l'être qu'il aime le plus au monde. Dès qu'il arrive à proximité, il salue la demoiselle du fond du cœur et de la bouche, disant : « La personne que je désire le plus, dont j'ai le moins obtenu de joie, et qui m'a causé le plus de douleur, soit la bienvenue, d'où qu'elle vienne. » Il n'aurait pas été juste de la part de la demoiselle d'être avare de paroles au point de ne pas lui rendre son salut, au moins du bout des lèvres. Le chevalier attacha beaucoup de prix à ce salut de la demoiselle, qui, passant par sa bouche sans la salir, ne lui coûta guère. S'il avait fait, à ce moment, une belle joute à un tournoi, il n'en aurait pas tiré autant vanité ; il n'aurait pas estimé avoir conquis autant d'honneur, ni autant de gloire. Ayant ainsi plus d'estime et d'admiration pour lui-même, il saisit la rêne dont la demoiselle retenait son cheval, disant : « Maintenant je vais vous emmener. Aujourd'hui j'ai bien navigué dans la bonne direction, et me voici arrivé à bon port. Je suis tiré d'embarras : après les périls c'est la sécurité du port, après les grands tourments c'est la grande réjouissance, après la grave maladie c'est la pleine santé ; désormais j'ai tout ce que je voulais, puisque je vous trouve dans de telles conditions que je peux vous emmener tout de suite avec moi, sans peur et sans reproche. — Vain discours que le vôtre, dit-elle, car ce chevalier m'escorte. — Vraiment c'est une bien piètre escorte, car je vous emmène sur-le-champ. Ce chevalier aurait plus vite mangé tout un tonneau de sel, je crois, que d'oser vous disputer à moi. Je ne pense pas avoir vu un homme dont je ne vienne à bout pour vous avoir. Et puisque je vous trouve à ma portée, même si cela le chagrine et lui déplaît, je vous emmènerai sous ses yeux, et qu'il s'en accommode comme il pourra. » L'autre ne s'irrite nullement en entendant ces vantardises, mais sans se moquer ni se vanter il commence à lui disputer la demoiselle en disant : « Seigneur, ne vous emballez pas, économisez vos paroles et parlez avec un peu de modestie. Personne ne vous privera de vos droits, quand vous en aurez. C'est sous mon escorte, vous finirez par le comprendre, que la jeune fille est venue jusqu'ici. Laissez-la, vous l'avez retenue trop longtemps, pour le moment elle n'a rien à craindre de vous. » Mais son adversaire veut bien qu'on le brûle s'il ne l'emmène pas malgré ses objections. Alors il lui répond : « Il ne serait pas normal que je vous laisse l'emmener. Sachez que je m'y opposerais par les armes. Mais si nous voulions un combat régulier, nous ne pourrions malgré nos efforts le faire dans ce chemin ; allons plutôt jusqu'à une voie dégagée, ou une prairie ou une lande. » L'autre répond qu'il ne demande pas mieux : « Certes, je suis bien d'accord. Vous n'avez pas tort de dire que ce chemin est trop étroit. Mon cheval va déjà se trouver trop à l'étroit pour que je puisse le faire tourner sans crainte qu'il ne se brise la cuisse. » Alors il fait demitour avec beaucoup de difficulté mais sans blesser son cheval ni subir lui-même aucun dommage, et il dit : « Vraiment, je regrette beaucoup que nous ne nous soyons pas rencontrés en un espace assez large et devant des spectateurs, car j'aurais bien aimé que l'on pût juger lequel de nous deux combat le mieux. Mais venez donc, nous irons à sa recherche, et nous trouverons près d'ici un terrain dégagé, long et large. » Alors ils se mirent en route et arrivèrent à une prairie. Il y avait là des jeunes filles, des chevaliers et des demoiselles qui jouaient à plusieurs jeux à la faveur de ce lieu agréable. Ils n'avaient pas tous des amusements frivoles, mais il y en avait qui jouaient au trictrac, aux échecs, les uns aux dés, les autres au double-six, et on jouait aussi à la mine[1]. C'étaient là les jeux de la majorité ; les autres participants aux jeux revenaient aux amusements de leur enfance, avec des ballets, des rondes et des danses ; on chantait, on faisait la culbute, on sautait, et on se passionnait aussi pour la lutte[2].

Un chevalier d'un certain âge se tenait de l'autre côté de la prairie sur un cheval d'Espagne à robe brune[3], dont les rênes et la selle étaient dorées ; le chevalier lui-même avait les cheveux grisonnants. Il tenait une main au côté pour se donner une contenance ; en raison du beau temps il était simplement vêtu d'une tunique légère et il regardait les jeux et les danses. Il avait jeté sur ses épaules un manteau d'écarlate doublé de pleine peau d'écureuil[4]. À l'écart, près d'un sentier, se tenait un groupe de vingt-trois chevaliers tout armés, montant d'excellents chevaux irlandais[5]. L'arrivée des trois voyageurs interrompit les réjouissances, et tout le monde se mit à crier sur l'étendue de la prairie : « Voyez, voyez le chevalier qui fut emmené sur la charrette ! Que personne ne participe à des jeux tant qu'il sera là ! Malheur à qui veut jouer, malheur à qui daignera jouer tant qu'il sera là ! » Entre-temps, voici le fils arrivé jusqu'à son père, le fils du chevalier aux cheveux gris, celui qui aimait la jeune fille et qui déjà croyait l'avoir à lui. Il lui dit : « Seigneur, j'éprouve une grande joie, et qui veut l'apprendre n'a qu'à écouter, car Dieu m'a donné la chose que j'ai désirée le plus dans ma vie. Le présent eût été moindre s'Il m'avait couronné roi, et je ne Lui en serais pas aussi reconnaissant ; je n'y aurais pas autant gagné, car ma récolte est belle et bonne. — Je ne sais si elle t'appartient déjà. » À cette remarque de son père celui-ci lui répondit aussitôt : « Vous ne savez pas ? Vous ne voyez pas clair ? Par Dieu, seigneur, n'en doutez plus puisque vous voyez que je la tiens. Je l'ai rencontrée dans cette forêt d'où je viens, alors qu'elle passait. Je pense que c'est Dieu qui me l'a amenée ; je l'ai donc prise par un droit de propriété légitime. — Je ne sais pas s'il te la cède déjà, ce chevalier que je vois venir derrière toi ; il vient te la disputer, je crois. » Pendant qu'ils tiennent ces propos, on a interrompu les rondes à cause de la présence de ce chevalier ; plus de jeu ni de joie en signe de malveillance et de mépris. Et le chevalier aussitôt se dépêche de rejoindre la jeune fille. « Laissez cette demoiselle, chevalier, dit-il, car vous n'avez aucun droit sur elle. Si vous insistez je la défendrai contre vous. » Le vieux chevalier intervient alors : « N'avais-je pas raison ? Beau fils, ne retiens plus cette jeune fille, mais rends-la-lui. » Cela ne plaisait pas à son fils, aussi jura-t-il qu'il ne rendrait rien, disant : « Que Dieu me refuse toute joie si j'accepte de la lui rendre ! Je la garde et la garderai comme faisant partie de mon fief. La bretelle et les sangles[1] de mon écu auront été auparavant rompues, et je n'aurai plus confiance en ma force ni en mon armure, ni en mon épée, ni en ma lance avant que je ne lui abandonne mon amie. — Je ne te laisserai pas combattre, dit le père, quoi que tu racontes. Tu as trop confiance en ta prouesse ; fais plutôt ce que je te dis. » Le fils, avec orgueil, lui réplique : « Suis-je un enfant à qui on puisse faire peur ? Je puis bien me vanter qu'il n'y a pas, parmi tous les chevaliers de ce monde que la mer environne, un seul qui soit assez fort pour que je la lui laisse, et que je n'oblige sans long combat à y renoncer. — Je prends acte, beau fils, dit le père, que c'est ta conviction, tellement tu te fies en ton courage, mais je refuse et refuserai encore aujourd'hui que tu te mesures avec ce chevalier. — Ce serait une honte pour moi si j'écoutais vos conseils. Maudit soit qui vous écoutera et à cause de vous renoncera : il faudrait que je ne me batte pas farouchement ? Il est bien vrai qu'on fait de mauvaises affaires en famille : je pourrais plus aisément marchander à l'extérieur, car vous voulez me tromper. Je sais bien qu'ailleurs je pourrais mieux réussir mon marché. Jamais quelqu'un d'étranger ne me détournerait de mon but, tandis que vous, vous y mettez des difficultés et des obstacles. Mais j'en suis d'autant plus obsédé que vous me l'avez reproché ; car, vous le savez bien, c'est en critiquant le désir d'un homme ou d'une femme qu'on en avive la brûlure et la flamme. Si j'y renonce un tant soit peu pour vous, je veux bien que Dieu me prive de toute joie à tout jamais. Non, je me battrai, malgré vous. — Par la foi que je dois à l'apôtre saint Pierre, fait le père, je vois bien que toute prière resterait sans effet. Je perds mon temps à te raisonner. J'aurai vite fait de t'arranger ton affaire de telle sorte qu'il te faudra, bien malgré toi, m'obéir en tout point, et ce n'est pas toi qui auras le dessus ! » Aussitôt il appelle le groupe des chevaliers, pour qu'ils viennent à lui. Il leur commande de maintenir son fils qu'il ne peut raisonner, disant : « Je le ferais lier plutôt que de le laisser combattre. Tous, autant que vous êtes, vous êtes à moi. Vous me devez amour et fidélité. Sur tout ce que vous tenez de moi je vous l'ordonne et vous en prie en même temps. Il commet une grande folie, il me semble, et il agit sous l'effet d'un immense orgueil quand il refuse de céder à ma volonté. » Et eux disent qu'ils s'en saisiront et qu'une fois qu'ils le tiendront il n'aura plus envie de combattre ; il lui faudra donc, malgré lui, rendre la jeune fille. Ils vont donc le saisir en le prenant par les bras et par le cou. « Alors, reconnais-tu ta folie ? fait le père ; maintenant ouvre les yeux sur la réalité : tu n'as plus force ni pouvoir de combattre ni de jouter, quoi qu'il t'en coûte, que cela t'ennuie ou te chagrine. Accorde-moi ce qui me plaît et me convient, tu agiras sagement. Et sais-tu ce que j'ai en tête ? Pour atténuer ta douleur nous suivrons, toi et moi, si tu veux, le chevalier, aujourd'hui et demain, par les bois et par les plaines, chacun au pas de son cheval. Il se peut qu'il se montre vite à nous d'une apparence et d'une nature telles que je te laisserais te mesurer à lui et te battre comme tu le veux[1]. » Alors le fils lui a donné sa parole, à contrecœur, puisqu'il y était contraint ; et n'ayant pas d'autre issue il dit qu'il prendrait son mal en patience à condition que tous deux suivraient ce chevalier. En voyant ce dénouement inattendu, les gens dispersés dans la prairie se mettent tous à dire : « Avez-vous vu ? Celui qui a été sur la charrette a obtenu aujourd'hui la faveur d'emmener l'amie du fils de notre seigneur, et celui-ci le suivra. En vérité nous pouvons dire qu'il doit y avoir quelque vertu en lui, puisqu'on le laisse emmener la jeune fille. Maudit cent fois soit donc celui qui s'abstiendra désormais de jouer à cause de lui ! Retournons jouer. » Alors ils reprennent leurs jeux, leurs rondes et leurs danses.

Aussitôt le chevalier se met en route et ne s'attarde pas davantage dans la prairie, mais la jeune fille ne reste pas en arrière sans profiter de son escorte. Tous deux s'en vont en hâte. Le père et le fils les suivent de loin. Ils ont chevauché à travers un pré fauché, et il est midi quand ils découvrent en un très beau site une église avec, derrière le chœur, un cimetière entouré de murs. N'étant ni vilain ni sot, le chevalier est entré à pied dans l'église pour prier Dieu. Et la demoiselle lui a tenu son cheval jusqu'à son retour. Sa prière achevée, il revenait sur ses pas quand il aperçut un moine très âgé venant à sa rencontre. Arrivé près de lui il le pria très poliment de lui dire ce qu'il y avait là, car il ne le savait pas. Le moine lui répondit que c'était un cimetière ; alors il reprit : « Conduisez-moi là-bas, et que Dieu vous assiste ! — Volontiers, seigneur. » Alors il l'y emmène. Il le conduit donc dans le cimetière entre les plus belles tombes qu'on puisse trouver jusque dans la Dombes, et de là jusqu'à Pampelune[1]. Sur chacune d'entre elles était inscrit le nom de celui qui un jour reposerait. Lui-même commença à lire ces noms les uns après les autres et put déchiffrer : ICI REPOSERA GAUVAIN, ICI LOHOLT, ICI YVAIN[2]. Après ces trois noms il lut ceux de beaucoup d'autres chevaliers d'élite, parmi les plus estimés et les meilleurs de ce pays et d'ailleurs. Parmi les tombes il en découvre une de marbre qui semble, comme œuvre d'art, la plus belle de toutes. Le chevalier appelle le moine et dit : « Les tombes que voici, quelle en est la destination ? — Vous avez lu les inscriptions, répond-il, et vous avez compris ce qu'elles disaient ; vous savez donc bien ce qu'elles veulent dire et la signification des tombes. — Et la plus grande que voilà, dites-moi, quelle est sa destination ? — Je vais vous l'expliquer, répond l'ermite. C'est un tombeau qui surpasse tous les ouvrages antérieurs. Jamais on n'en a vu un aussi richement sculpté ; il est plus beau à l'intérieur qu'à l'extérieur. Mais abandonnez l'idée, qui ne pourrait être par vous réalisée, de regarder l'intérieur. Pour le mettre au jour, il faudrait sept hommes des plus robustes et des plus grands afin d'ouvrir la tombe, car elle est recouverte d'une lourde dalle. Oui, sachez bien, c'est une chose certaine, il y faudrait sept hommes plus forts que vous et moi. Il y a une inscription qui dit : *Celui qui soulèvera cette dalle à lui tout seul libérera ceux et celles qui sont retenus prisonniers en cette terre dont nul ne peut sortir, même clerc ou gentilhomme, une fois qu'il y est entré. Nul n'en est encore revenu. On y retient prisonniers les étrangers tandis que les habitants du pays vont et viennent, entrent et sortent à loisir*[1]. » Aussitôt le chevalier va saisir la dalle, il la soulève sans peine, plus aisément que ne l'auraient fait dix hommes en y mettant toutes leurs forces. Le moine en est si étonné qu'il manque de tomber à la renverse à la vue d'un tel prodige. Il ne pensait voir une telle merveille de toute sa vie. « Seigneur, dit-il, j'ai grand désir de connaître votre nom ; pourriez-vous me le dire ? — Moi, non, ma foi ! fait le chevalier. — Vraiment, je le regrette, fait-il ; mais si vous me le disiez, ce serait faire preuve d'une grande courtoisie, et puis vous pourriez y trouver avantage. D'où êtes-vous, de quel pays ? — Je suis un chevalier, vous le voyez, et par ma naissance j'appartiens au royaume de Logres. J'aimerais que vous vous contentiez de cela. Mais vous, s'il vous plaît, redites-moi qui sera couché dans ce tombeau ? — Seigneur, celui qui délivrera tous ceux qui sont pris au piège du royaume dont nul n'échappe[1]. » Le moine ayant dit tout ce qu'il pouvait dire, le chevalier l'a recommandé à Dieu et à tous ses saints. Ensuite il est revenu à la demoiselle, accompagné par le vieux moine aux cheveux blancs jusqu'à l'extérieur de l'église. Les voilà revenus sur la route, et tandis que la jeune fille remontait à cheval, le moine raconta tout ce que le chevalier avait fait là-bas, la priant de lui apprendre son nom, si elle le savait. Elle dut lui avouer que non ; elle osa seulement lui assurer qu'il n'y avait pas au monde un chevalier qui fût son égal aussi loin que soufflent les quatre vents.

Là-dessus la jeune fille le quitte et s'élance à la suite du chevalier. Sur ces entrefaites, ceux qui les suivaient arrivent et ne trouvent plus que le moine seul devant l'église. Le vieux chevalier en tunique légère lui demande : « Seigneur, avez-vous vu un chevalier, dites-nous, qui escorte une demoiselle ? — Je n'aurai pas de peine, répond-il, à vous dire toute la vérité, car ils viennent de partir d'ici. Le chevalier est allé là-bas, et il a fait quelque chose d'extraordinaire, car il a, sans se donner aucun mal, soulevé la dalle qui se trouvait sur la tombe de marbre. Il va au secours de la reine, et il ne manquera pas de la secourir, ainsi que tous les captifs. Vous le savez bien vous-même, puisque vous avez souvent lu l'inscription qui est sur la dalle. Jamais n'est venu normalement au monde ni n'est monté en selle un chevalier de la valeur de celui-ci. » Alors le père dit à son fils : « Fils, quelle est ton impression ? N'est-il donc pas d'une valeur exceptionnelle, celui qui a accompli un tel exploit ? Tu sais bien maintenant qui avait tort, de toi ou de moi. Je ne voudrais pas, pour la ville d'Amiens, que tu te sois mesuré à lui. Ce n'est pas faute que tu te sois démené avant qu'on ne réussisse à t'en détourner. Maintenant nous pouvons rentrer, car il serait bien déraisonnable de notre part de les suivre plus avant. — J'en suis bien d'accord, répond-il, les suivre ne nous servirait à rien. Puisqu'il vous plaît ainsi, rentrons. » Il eut bien raison de repartir. Cependant la jeune fille s'en allait, aux côtés du chevalier, et elle voulait obtenir de lui qu'il accepte de lui apprendre son nom ; elle lui demanda donc de le lui dire, elle le pria une fois, deux fois, tant et si bien qu'excédé il lui répondit : « Ne vous ai-je pas dit que je suis du royaume du roi Arthur ? Par la foi que je dois à Dieu et à sa toute-puissance vous n'apprendrez rien sur mon nom. » Alors elle lui demande de lui donner congé, disant qu'elle retournera d'où elle vient ; c'est ce qu'il fut tout heureux de lui accorder.

Alors la jeune fille s'en va, et le chevalier a chevauché jusque tard dans la journée sans personne pour lui tenir compagnie. Après vêpres, à l'heure de complies, alors qu'il était encore en route, il vit arriver un chevalier sortant d'un bois où il avait chassé. Il arrivait, heaume lacé, avec la venaison que Dieu lui avait donnée chargée sur son grand cheval de chasse couleur gris fer. Ce vavasseur[1] se porta rapidement à la rencontre de notre chevalier pour le prier de venir se loger chez lui : « Seigneur, dit-il, il va bientôt faire nuit. Le moment est venu de se loger, il est raisonnable de s'en occuper. J'ai une maison tout près d'ici où je vais vous conduire. Jamais vous n'aurez reçu une meilleure hospitalité que celle que je vais vous offrir dans la mesure de mes moyens. Si vous acceptez j'en serai très heureux. — Moi aussi j'en suis très heureux », répond-il. Le vavasseur envoya aussitôt son fils en avant, pour arranger le logement et hâter les préparatifs du repas. Et le jeune homme ne traîna pas mais, obéissant très volontiers et joyeusement à cet ordre, partit à toute allure. De leur côté les deux chevaliers, qui n'avaient pas besoin de se presser, ont fait route après lui pour finalement arriver au logis. Le vavasseur avait pour épouse une dame de bonne éducation, et il avait aussi cinq fils qu'il chérissait beaucoup, dont deux déjà chevaliers et trois encore apprentis, ainsi que deux filles gentilles et belles qui n'étaient pas encore mariées. Ce n'était pas des gens du pays, mais ils y étaient détenus comme prisonniers depuis longtemps, car ils étaient originaires du royaume de Logres[1]. Le vavasseur ayant conduit le chevalier dans la cour du manoir, la dame accourut à leur rencontre ; ses fils et ses filles s'élancèrent à sa suite et tous offrirent leurs services. Ils le saluent et l'aident à descendre tandis que le maître de maison est un peu négligé par les sœurs et les cinq frères, qui savent bien que leur père veut qu'ils se comportent de cette manière. Ils prodiguent donc à leur hôte marques d'honneur et de sympathie. Quand il eut été désarmé, il reçut le manteau d'une des filles de son hôte qui l'enleva de ses propres épaules pour l'en revêtir. S'il fut bien servi à table, ce n'est pas la peine de le dire. Mais je dirai qu'après manger on n'eut aucune difficulté à trouver divers sujets de conversation. D'abord le vavasseur commença par demander à son hôte qui il était, de quel pays, sans cependant s'enquérir de son nom. Il répondit sur-le-champ : « Je suis du royaume de Logres, je n'ai jamais été dans ce pays. » En entendant cette réponse, le vavasseur ainsi que sa femme et tous ses enfants furent saisis d'étonnement : aucun n'échappe à un sentiment d'angoisse. D'entrée de jeu, ils lui déclarent : « C'est pour votre malheur que vous êtes venu, beau doux seigneur, comme c'est dommage pour vous ! Car désormais vous serez comme nous esclave et exilé. — Et d'où êtes-vous donc ? fait-il. — Seigneur, nous sommes de la même terre que vous. En ce pays on trouve beaucoup de nobles personnes de votre terre qui sont retenues en servitude. Maudite soit cette coutume et ceux qui la maintiennent en usage, coutume selon laquelle tout étranger qui vient par ici est obligé de rester comme attaché à cette terre[1] ! Car qui le veut peut entrer, mais il lui faut rester. Votre propre sort est tout réglé : vous n'en sortirez, je pense, jamais. — Mais si, je sortirai, dit-il, je ferai mon possible. » Le vavasseur reprend : « Comment ? Pensez-vous en sortir ? — Oui, s'il plaît à Dieu ; je ferai pour cela tout ce qui est en mon pouvoir. — En ce cas, tous les autres pourraient sans crainte quitter le pays librement ; car une fois que l'un d'entre nous sera sorti, en tout bien tout honneur, de cette prison, tous les autres, à coup sûr, pourront en sortir sans obstacle. » Alors le vavasseur se souvient d'une rumeur qu'on lui avait rapportée : qu'un chevalier de grande valeur forçait son chemin dans le pays en quête de la reine que détenait Méléagant, le fils du roi ; et il se dit : « Je pense, je crois vraiment que c'est lui, et je vais donc le lui dire. » Alors il reprit la parole : « Ne me cachez rien, seigneur, de votre entreprise, et en échange je vous promets de vous donner le meilleur conseil que je pourrai. Moi-même j'aurai tout à gagner si vous réussissez. Révélez-moi la vérité pour votre profit et le mien. Si vous êtes venu en ce pays, j'en suis persuadé, c'est à cause de la reine, au milieu de cette race d'infidèles pires que les Sarrasins eux-mêmes[1]. » Alors le chevalier répond : « Je ne suis pas venu pour autre chose. Je ne sais où ma dame est enfermée, mais je n'ai qu'une chose en tête, la secourir, et j'ai grand besoin de conseil. Conseillez-moi, si vous le pouvez. — Seigneur, répond-il, vous avez entamé une voie très difficile. Cette route où vous vous trouvez conduit tout droit au Pont de l'Épée. Ce serait le moment d'écouter un bon conseil : si vous vouliez me croire, vous iriez au Pont de l'Épée par un chemin plus sûr, et je vous y ferais conduire. » Mais lui, qui ne désire que le plus court chemin, demande : « Est-ce que la route dont vous me parlez est aussi directe que celle qui passe par ici ? — Non, répond-il, c'est une route plus longue, mais plus sûre. — Cela ne m'intéresse pas ; dites-moi ce que vous savez sur cette route-ci, car c'est elle que je suis prêt à affronter. — Seigneur, vous n'y aurez aucun avantage ; en prenant cet autre itinéraire, vous arriverez demain à un passage qui pourra vite tourner mal pour vous ; son nom : le Passage des Pierres[2]. Voulez-vous que je vous dise aussi combien ce passage est dangereux ? Il n'a que la largeur d'un cheval ; deux hommes ne pourraient y passer de front, et le passage est bien gardé et bien défendu. On ne vous le livrera pas dès votre arrivée. Vous recevrez maint coup d'épée et de lance, et vous devrez en rendre beaucoup avant d'arriver de l'autre côté. » Quand il eut terminé son exposé, un chevalier s'avança ; c'était un des fils du vavasseur, et il dit : « Père, j'irai avec ce seigneur, si vous le permettez. » Alors un des jeunes apprentis chevaliers se lève et dit : « Moi aussi, j'irai. » Et le père leur donne son accord bien volontiers à tous les deux. Maintenant le chevalier n'ira pas tout seul, et il les en remercie, car il apprécie beaucoup leur compagnie.

Sur ce la conversation prit fin et on emmena se coucher le chevalier. Il put dormir tout son soûl. Dès qu'il aperçut la clarté du jour il se leva, ce que voyant ceux qui devaient aller avec lui, ils se levèrent aussitôt. Une fois équipés et armés les chevaliers prirent congé puis se mirent en route. Le plus jeune marchait devant et leur petit groupe chemina jusqu'au Passage des Pierres où ils arrivèrent juste à l'heure de prime. Il y avait une bretèche[1] au milieu du chemin, avec toujours au poste une sentinelle. Avant qu'ils aient eu le temps d'approcher, la sentinelle en faction les aperçoit et crie de toutes ses forces : « Alerte à l'ennemi ! Alerte à l'ennemi ! » Alors voici qu'arrivent à hauteur de la bretèche un chevalier en selle équipé d'une armure toute neuve, et de chaque côté les hommes d'armes portant des haches bien aiguisées. Le chevalier qui défendait le passage lui reprocha la charrette en termes insultants : « Vassal, dit-il, tu t'es montré bien téméraire, et c'est très naïf de ta part d'être entré en ce pays. Un homme qui est monté sur une charrette n'aurait pas dû venir par ici ; que Dieu te prive à jamais d'en profiter ! » Alors ils s'élancent l'un vers l'autre de toute la vitesse de leurs chevaux. Le défenseur du passage brise d'emblée sa lance et en laisse tomber les deux morceaux. L'autre l'atteint à la gorge droit par-dessus la bordure de l'écu, et il l'envoie sur les rochers à la renverse. Les hommes d'armes l'attaquent à la hache mais ils font exprès de le manquer, n'ayant aucune envie de lui faire du mal pas plus qu'à son cheval. Et le chevalier se rend bien compte qu'ils ne veulent pas le gêner et qu'ils ne désirent pas lui faire de mal. Il ne prendra pas la peine de tirer son épée et passe outre sans coup férir, suivi de ses compagnons. L'un d'eux dit alors à l'autre qu'il n'a jamais vu un tel chevalier, et que celui-ci n'a pas son pareil : « N'a-t-il pas accompli quelque chose d'extraordinaire en forçant le passage par ici ? — Beau frère, par Dieu, dépêche-toi, dit le chevalier à son frère, et va trouver notre père pour lui apprendre cette aventure. » Mais le jeune homme, obstiné, jure qu'il n'ira pas le lui dire, et qu'il ne quittera pas ce chevalier avant qu'il ne l'ait adoubé et fait chevalier. Qu'il aille, lui, porter ce message s'il en a tellement envie ! Alors ils continuent ensemble, tous les trois, leur chemin jusque trois heures passées. Vers trois heures, ils ont rencontré un homme qui leur demande qui ils sont. Ils répondent : « Nous sommes des chevaliers et nous nous occupons de nos affaires. » L'homme dit alors au chevalier : « Seigneur, je voudrais vous héberger, vous et vos compagnons. » Il parle à ce chevalier, qui lui semble être le seigneur et le maître des deux autres. Lequel répond : « Il ne me serait pas possible de faire étape à cette heure, car il faut être lâche pour traîner en route et se reposer tranquillement quand on s'est engagé dans une telle entreprise. Ce que j'ai entrepris est de telle importance que je ne suis pas près de faire étape. » Mais l'homme revient à la charge : « Mon logis n'est pas tout près d'ici, mais bien plus loin sur votre chemin. Vous pouvez y venir, étant entendu que vous ferez étape à l'heure qui convient, car il sera tard quand vous y arriverez. — Eh bien, dit-il, j'irai donc. » L'homme part en avant pour les guider, et les autres derrière lui, en suivant la grand-route. Ils marchaient depuis longtemps quand ils rencontrèrent un écuyer qui, sur le même chemin, arrivait au grand galop sur un cheval de trait bien gras et rond comme une pomme. L'écuyer dit à l'homme : « Seigneur, seigneur, venez vite car les gens de Logres ont pris les armes pour attaquer les habitants de cette terre ; la guerre a commencé, on se bat, c'est la mêlée. Ils disent qu'un chevalier s'est introduit dans cette région, qu'il a déjà livré bataille en maints endroits et qu'on ne peut lui interdire le passage là où il veut s'avancer, quoi qu'il en coûte. Et les gens du pays sont d'accord pour dire qu'il les délivrera tous, et soumettra les nôtres. Hâtez-vous donc, si vous m'en croyez. » Alors l'homme met son cheval au galop. Les autres sont tout joyeux parce qu'ils l'ont entendu aussi, et ils voudront aider les gens de leur parti. Le fils du vavasseur dit alors : « Seigneur, vous entendez ce qu'a dit cet homme d'armes. Allons-y, portons secours à nos gens qui ont maille à partir avec ceux de l'autre bord. » L'homme poursuivit sa course sans les attendre, se dirigeant à toute vitesse vers une forteresse installée sur une hauteur ; il arriva en trombe à l'entrée, suivi des autres qui faisaient force d'éperons. La place était entourée d'un haut mur d'enceinte et d'un fossé. Dès qu'ils furent entrés on leur ferma une herse sur les talons, leur coupant le chemin du retour. Mais ils dirent : « Allons, allons, ne nous laissons pas arrêter ici. » Suivant leur guide à vive allure, ils arrivèrent à l'autre porte, où ils ne rencontrèrent pas d'opposition, mais dès que le guide l'eut franchie ils laissèrent s'abattre derrière lui une porte coulissante. Ils furent très inquiets de se voir ainsi enfermés à l'intérieur, pensant être victimes d'un enchantement. Mais le héros de mon histoire avait à son doigt un anneau dont la pierre avait pour vertu de dissiper tout enchantement quand on la regardait[1]. Il mit donc l'anneau dans le champ de son regard, examina la pierre et déclara : « Dame, dame, que Dieu me porte secours, maintenant j'aurais grand besoin que vous puissiez m'aider. »

Cette dame était une fée[2] qui lui avait donné l'anneau, car elle l'avait élevé durant son enfance ; il avait une très grande confiance en elle, sachant bien qu'elle viendrait, en quelque endroit qu'il fût, lui porter aide et secours. Mais il vit bien, après cette invocation et la consultation de la pierre, qu'il n'y avait pas d'enchantement ; il sut donc en toute certitude qu'ils étaient bel et bien retenus prisonniers. Alors ils arrivent à une poterne étroite et basse. D'un même geste ils tirent leurs épées et s'escriment tous tant et si bien qu'ils coupent la barre qui retenait la porte. Une fois sortis de la tour ils virent que la bataille avait commencé là-bas dans les prés, puissante et féroce, et qu'il y avait bien au moins mille chevaliers de part et d'autre sans compter la foule des vilains. Ils descendirent vers les prés, et avec bon sens et prudence le jeune fils du vavasseur prit la parole pour dire : « Seigneur, avant d'aller plus loin nous ferions bien, je pense, d'aller nous renseigner pour savoir de quel côté sont nos gens. Je ne sais par où ils sont venus, mais j'irai me rendre compte, si vous voulez. — Je veux bien, lui est-il répondu, allez-y vite, et il faut revenir aussi vite ! » Il y va rapidement et revient de même, pour dire : « Nous avons beaucoup de chance, car j'ai vu clairement que les nôtres sont de ce côté-ci. » Le chevalier se dirigea aussitôt vers la mêlée. Un autre chevalier vint à sa rencontre ; au cours de la joute qui en résulta, il le frappa d'un bon coup qui, traversant l'œil, l'abattit raide mort. Le jeune apprenti chevalier mit pied à terre, prit le cheval et l'armure de ce chevalier, et il la revêtit fort adroitement. Ainsi équipé il monta à cheval sans délai, prit l'écu et la lance, une grande lance, robuste et bien décorée ; il attacha l'épée à sa ceinture, une épée tranchante, dont les reflets jetaient comme des éclairs. Il rejoignit dans la bataille son frère et son seigneur[1], lequel avait fait merveille dans la mêlée pendant longtemps, ayant rompu, fendu, mis en miettes écus, lances et hauberts. Ni le bois ni le fer ne protégeaient celui qu'il atteignait : ou bien il était assommé, ou bien il volait mort en bas de son cheval. À lui seul il mettait tant d'ardeur à l'ouvrage qu'il les abattait tous, et de leur côté ceux qui l'accompagnaient faisaient aussi du bon travail. Mais les gens de Logres s'en étonnent, car ils ne le connaissent pas, et ils se renseignent sur lui auprès du fils du vavasseur. À force de poser des questions ils obtiennent cette réponse : « Seigneurs, c'est celui qui nous tirera tous de l'exil et de la condition misérable où notre malheur nous a tenus si longtemps. Nous devons bien l'honorer puisque, pour nous tirer de prison, il a franchi tant de dangereux obstacles et doit encore en franchir beaucoup ; après tant de hauts faits il lui en reste autant à accomplir. » C'est une joie générale une fois que la nouvelle s'est répandue auprès de tout le monde ; tous l'ont entendue, tous l'ont apprise. Cette joie qu'ils éprouvaient fit croître leur force, et ils se démenèrent tant qu'ils tuèrent beaucoup de leurs adversaires, et s'il les malmenèrent encore plus, ce fut grâce aux exploits d'un seul chevalier, il me semble, plutôt que par une émulation collective. Si l'on n'avait pas été si près de la nuit, leurs adversaires auraient été tous mis en déroute ; mais la nuit obscure les contraignit à interrompre le combat.

Au moment de se retirer, tous les captifs, comme pour rivaliser d'empressement, vinrent entourer le chevalier, s'accrochant aux rênes de son cheval, et ils commencèrent à dire : « Soyez le bienvenu, beau sire. » Et chacun d'ajouter : « Seigneur, sur ma foi, vous logerez chez moi. — Seigneur, par Dieu et par Son nom, vous ne logerez que chez moi. » Chacun répète ce que dit l'autre, car tous veulent le loger, aussi bien les jeunes que les vieux. Et chacun prétend : « Vous serez mieux chez moi que chez un autre. » Voilà ce que chacun dit en sa présence, pour l'enlever à l'autre, puisque chacun veut l'avoir, si bien que pour un peu ils en viendraient aux mains. Alors il leur dit que leur dispute n'est que temps perdu et pure folie : « Laissez, dit-il, cette chamaillerie qui n'est ni dans mon intérêt ni dans le vôtre. La discorde n'est pas bonne entre nous, alors que nous devrions nous entraider. Vous n'avez pas à débattre pour savoir qui me logera, mais votre souci doit être, afin que tout le monde y trouve son compte, de me loger en un lieu tel que je ne m'écarte pas de mon droit chemin. » Cependant la rivalité continue : « Ce sera chez moi. — Non, chez moi ! — Vous ne parlez pas encore comme je le voudrais, fait le chevalier. Le plus sage de vous est encore fou, quand j'entends ce pour quoi vous vous querellez. Vous devriez favoriser mon avance, et vous cherchez à m'imposer des détours. Vous pourriez tous l'un après l'autre m'avoir comblé d'honneurs et de bons services autant qu'on en peut faire à un mortel, sans que, par tous les saints qu'on prie à Rome, je vous sache gré du bénéfice que j'en retirerais plus que je ne fais de votre seule intention. Que Dieu ne m'accorde ni joie ni santé s'il n'est pas vrai que votre intention me réjouit autant que l'auraient fait toutes les marques effectives d'estime et de bienveillance ; que l'intention soit prise en compte autant que l'acte ! » C'est ainsi qu'il en vient à bout et les apaise. On l'emmène chez un chevalier fort aisé dont la maison se trouve sur son chemin, et tous se mettent en frais pour le servir. Tous lui prodiguent marques d'estime et services, et ce ne sont que réjouissances en son honneur toute la soirée jusqu'à l'heure du coucher. Tout le monde le tient en grande affection. Le lendemain matin, à l'heure du départ, chacun voulait aller avec lui et lui faisait des offres de service. Mais il n'avait ni désir ni volonté d'avoir d'autres compagnons de route que les deux qu'il avait amenés jusque-là avec lui. Ils avaient été sa seule escorte. Ce jour-là, ils ont chevauché du matin au soir sans rencontrer d'aventure. Ils avançaient à vive allure, tard dans la journée, quand ils sortirent d'une forêt. À ce moment ils aperçurent la maison d'un chevalier, et ils virent sa femme, qui semblait une dame estimable, assise à la porte. Dès qu'elle put les distinguer, elle se leva pour les accueillir, leur montrant un visage riant de joie ; elle les salua en ces termes : « Soyez les bienvenus ; je veux que vous vous logiez chez moi ; vous êtes mes hôtes, descendez de cheval. — Dame, nous vous remercions ; puisque vous nous l'ordonnez, nous descendons et nous nous logerons chez vous. » Ils descendirent de cheval, et dès qu'ils furent à terre la dame fit prendre les chevaux, car elle avait une belle maisonnée à sa disposition. Elle appela donc ses fils et ses filles, et ils arrivèrent aussitôt, jeunes gens courtois et gracieux, chevaliers et belles jeunes filles. Aux uns elle commande d'enlever les selles des chevaux, et de bien les panser. Personne n'eût osé s'y refuser, et ils le firent bien volontiers. Elle fit désarmer les chevaliers, ce que ses filles vinrent faire avec empressement. Une fois libérés de leur armure, ils reçurent pour s'habiller chacun un manteau court. On les emmena aussitôt à la maison qui avait très belle allure. Le seigneur n'était pas là, car il était dans la forêt accompagné de deux de ses fils. Mais il arriva bientôt, et sa maisonnée qui était fort bien éduquée s'élança pour l'accueillir au seuil de la porte. Toute la venaison qu'il apportait fut bien vite déchargée et déballée ; et on le mit au courant des événements : « Seigneur, seigneur, vous ne savez pas, vous avez pour hôtes trois chevaliers[1]. — Dieu soit loué ! » répondit-il. Le chevalier et ses deux fils firent fête à

leurs hôtes, tandis que la maisonnée ne restait pas inactive, toute aux préparatifs dont elle avait la charge : les uns courent pour hâter les apprêts du repas, les autres pour allumer les chandelles ; on approche la flamme et elles commencent à éclairer ; on prend serviette et bassins afin qu'ils se lavent les mains et l'on verse l'eau sans compter. Tout le monde s'étant lavé, on va s'asseoir. Il n'y avait au spectacle ainsi offert rien de choquant ni de désagréable. Au premier service il y eut, en guise d'entremets[1], l'arrivée d'un chevalier qui se présenta sur le seuil de la porte ; il était plus orgueilleux qu'un taureau, animal qui ne manque déjà pas d'orgueil. Lui se tenait armé de pied en cap, assis sur son destrier. Il s'appuyait d'une seule jambe à l'étrier et avait placé l'autre, pour faire des manières et se rendre intéressant, sur l'encolure de son destrier à longue crinière. Et voilà qu'il était arrivé sans que personne n'ait pris garde à lui jusqu'au moment où il se planta devant eux et dit : « Qui est celui — je veux le connaître — qui a tant de sottise et d'orgueil, et la tête si vide de cervelle, qu'il est venu dans ce pays avec l'idée de passer le Pont de l'Épée ? Il a bien perdu sa peine, et les pas qu'il a faits pour venir. » Et le chevalier ainsi interpellé, nullement troublé, lui répondit tout tranquillement : « C'est moi qui veux passer le pont.
— Toi ? Toi ? Comment as-tu osé avoir cette idée ? Tu aurais dû, avant de te lancer dans une telle entreprise, réfléchir à la façon dont tout cela pourrait se terminer pour toi, tu aurais dû te souvenir de la charrette où tu montas. Je ne sais si tu ressens de la honte pour y être monté mais aucun être sensé ne se serait lancé dans une si grande entreprise sous le coup

d'un tel blâme. » À tout ce qu'il s'entend dire, lui ne daigne répondre un seul mot ; mais le seigneur de la maison et tous ceux qui s'y trouvent ont quelque raison d'être au comble de l'étonnement : « Ah ! Dieu, quelle terrible mésaventure, se dit chacun d'entre eux ; maudite soit l'heure où l'on a inventé la charrette, car c'est un instrument vil et méprisable. Ah ! Dieu, de quoi était-il accusé ? pourquoi l'a-t-on mis sur une charrette ? Pour quel crime ? On le lui reprochera toujours, désormais. S'il était à l'abri de ces reproches il n'y aurait pas au monde de chevalier, quelle que fût sa prouesse, qui pût s'égaler à celui-ci. On pourrait tous les rassembler, on n'en verrait pas de si beau ni de si noble, à dire toute la vérité. » Telles étaient les communes réflexions. Et l'autre, bouffi d'orgueil, reprit son discours en ces termes : « Chevalier, écoute un peu, toi qui t'en vas au Pont de l'Épée : si tu veux, tu passeras l'eau facilement et en douceur. Je te ferai vite faire la traversée en bateau. Mais le prix à payer, quand je t'aurai à ma disposition sur l'autre rive, sera ta tête : selon mon bon plaisir je la prendrai ou non, tu seras à ma merci. » Lui, il répond qu'il ne cherche pas à faire son propre malheur ; jamais il ne risquera sa tête en un tel jeu, quoi qu'il lui en coûte. Et l'autre de répliquer : « Puisque tu ne veux pas de cette solution, je ne sais qui aura la honte et le deuil, mais tu devras te battre avec moi, là-dehors, au corps à corps. » Et lui, pour amuser son adversaire, lui dit : « Si je pouvais refuser cette proposition, volontiers je m'en dispenserais ; mais j'aime encore mieux combattre que d'avoir à faire quelque chose de pire. » Avant de se lever de table, il demande aux valets qui le servaient de seller rapidement son cheval, d'aller prendre ses armes et de les lui apporter. Alors ils s'efforcent de faire vite ; les uns s'affairent à lui revêtir son armure, les autres lui amènent son cheval ; et sachez-le bien, il n'avait pas l'air, alors qu'il se mettait en route au pas, armé de toutes ses armes, l'écu tenu par les sangles, du haut de son cheval, de ne pas mériter d'être compté parmi les beaux et les bons chevaliers. On voyait bien que le cheval était à lui, tant il était en harmonie, comme l'écu qu'il tenait, le bras engagé dans les sangles ; et le heaume lacé sur sa tête lui allait si bien que vous n'auriez pas eu l'idée qu'il ait pu se le faire prêter ou l'avoir acheté à crédit. Non, vous auriez juré, sous le coup de l'admiration, qu'il était né et qu'il avait grandi avec. Et, ce que je vous dis là, je vous prie de bien vouloir le croire.

À l'extérieur attendait, dans une lande où devait avoir lieu la bataille, celui qui avait exigé la joute. Dès qu'ils se voient ils s'élancent à bride abattue l'un vers l'autre. Ils se rencontrent en pleine vitesse et le choc des lances est tel qu'elles plient, se courbent et toutes deux volent en morceaux. Alors ils entament avec leur épée les écus, les heaumes et les hauberts. Ils tranchent le bois, brisent le fer si bien qu'ils se blessent en plusieurs endroits. Ivres de colère ils se rendent la monnaie des coups avec la régularité d'un contrat commercial. Mais plus d'une fois les épées descendent jusqu'aux croupes des chevaux ; elles s'abreuvent de sang tout leur soûl car ils en frappent les flancs des chevaux tant et si bien qu'ils les abattent morts tous les deux. Une fois tombés à terre ils reprennent la lutte à pied ; s'ils étaient animés par une haine mortelle, vraiment ils ne s'attaqueraient pas à l'épée plus sauvagement. Ils frappent à coups répétés avec plus d'acharnement que le joueur de mine[1] qui risque aux dés denier après denier sans trêve, et qui à chaque fois qu'il perd tente un autre coup de dés. Mais il s'agissait d'un tout autre jeu, qui ne devait rien au hasard : il était fait de coups échangés dans un combat farouche, implacable et cruel. Tout le monde était sorti de la maison : le seigneur, sa dame, ses filles et ses fils, et personne n'était resté à l'intérieur, ni la famille ni les étrangers ; tous étaient venus se ranger pour assister au corps à corps dans la vaste lande. Le chevalier à la charrette s'accuse et se reproche sa faiblesse quand il voit que son hôte le regarde ; puis il se rend compte que les autres aussi sont réunis pour le regarder. Tout son corps se met à trembler de fureur car il aurait dû, pense-t-il, avoir mis fin depuis longtemps au combat en triomphant de son adversaire. Alors il le frappe de son épée qui menace de tout près sa tête, et il fond sur lui comme un ouragan, le pousse, le presse tant que l'autre doit reculer. Gagnant sur lui du terrain, il le mène tant et si bien que l'autre manque de souffle et n'a plus de ressource pour se défendre. Alors le chevalier se souvient qu'il avait grossièrement fait allusion à la charrette. Il le déborde et l'arrange si bien qu'il ne lui laisse intacts ni lacets ni courroies autour du col de son haubert ; ainsi il peut faire voler de sa tête le heaume et glisser la ventaille[2]. Il le fait souffrir et le malmène jusqu'au moment où il le tient à sa merci. Comme l'alouette qui ne peut plus résister à l'émerillon une fois que, débordée et dominée par son vol, elle n'a plus de recours, ainsi son adversaire couvert de honte se met à implorer sa grâce, n'ayant plus rien d'autre à faire[1]. En entendant sa requête, sans le toucher ni le frapper, il lui demande : « Veux-tu que je t'accorde ta grâce ? — Vous avez parlé très sagement, dit-il ; comme le dirait un personnage comique[2] : jamais je n'ai désiré quelque chose aussi ardemment que la grâce aujourd'hui. — Alors il te faudra monter sur une charrette, lui est-il répondu ; tu perdrais ton temps à me raconter tout ce qui te passe par la tête si tu ne montais pas dans la charrette, parce que ta sotte bouche me l'a reprochée grossièrement. » Mais ce chevalier lui répond : « À Dieu ne plaise que j'y monte — C'est non ? eh bien, vous allez mourir. — Seigneur, vous pouvez bien me faire mourir mais, par Dieu, je vous demande grâce à la seule condition que je ne doive pas monter en charrette. Je suis prêt à recevoir n'importe quelle punition, sévère et dure, à l'exception de celle-là. Je pense que je préférerais être mort que d'avoir commis cette infamie. Mais à part cela il n'y a aucun châtiment que je ne veuille subir, si vous me l'indiquez, pour mériter votre grâce et votre miséricorde. »

Pendant qu'il négocie sa grâce, voici qu'arrive à travers la lande une jeune fille sur une mule fauve marchant à l'amble[3] ; elle était nu-tête et décoiffée, et tenait une cravache dont elle donnait de grands coups à sa mule, si bien que nul cheval au grand galop ne serait allé, en vérité, aussi vite que cette mule courant à l'amble. S'adressant au chevalier de la charrette la jeune fille dit : « Que Dieu te mette dans le cœur, chevalier, une joie parfaite avec celle qui fait ton bonheur. » Ces paroles lui furent agréables et il répondit : « Que Dieu vous bénisse, jeune fille, et vous donne joie et santé ! » Alors elle lui révéla ce qu'elle voulait : « Chevalier, je suis venue de loin te trouver pour une affaire pressante ; je veux te demander un don, et je ferai tout ce qui est en mon pouvoir pour t'en récompenser et t'en dédommager ; car tu auras un jour besoin de mon aide, je crois[1]. — Dites-moi ce que vous voulez, répondit-il, et si je l'ai à ma disposition, vous pourrez l'obtenir sans délai, pourvu que ce ne soit pas chose trop difficile. — Il s'agit de la tête de ce chevalier que tu as vaincu, et vraiment tu n'as jamais rencontré quelqu'un d'aussi traître ni d'aussi déloyal. Tu ne commettras ainsi ni péché ni mauvaise action, au contraire tu accompliras un acte charitable et moral, car c'est le plus déloyal des êtres du temps passé ou à venir. » Quand le vaincu entendit qu'elle voulait sa mort, il lui cria : « Ne la croyez pas, car elle me hait ; mais je vous prie d'avoir pitié de moi au nom de ce Dieu à la fois fils et père, qui choisit pour mère celle qui était sa fille et sa servante. — Ah ! chevalier, reprit la jeune fille, ne croyez pas ce traître. Que Dieu te donne autant de joie et d'honneur que tu peux le désirer, et qu'il t'accorde de réussir ce que tu as entrepris ! » Voilà le chevalier bien embarrassé et il prend le temps de réfléchir : donnera-t-il la tête à celle qui lui demande de la trancher, ou accordera-t-il assez de prix à l'autre pour le prendre en pitié ? À l'une comme à l'autre il souhaiterait accorder ce qu'ils demandent : Largesse et Pitié lui commandent de faire plaisir à chacun des deux, car il avait ces deux vertus. Mais si la jeune fille remporte la tête, alors Pitié sera vaincue et morte ; et si elle ne l'emporte pas, alors c'est la défaite de Largesse. Il est pris au piège d'une double contrainte qui des deux côtés l'angoisse et le tourmente. La jeune fille veut qu'il lui donne la tête comme elle le lui a demandé ; inversement, Pitié quant à elle lui commande de le laisser aller[1]. Or, puisqu'on lui a demandé grâce, doit-il la refuser ? Non, car il ne lui est jamais arrivé qu'à quelqu'un, même son pire ennemi, une fois vaincu et contraint de demander grâce, non, il ne lui est jamais arrivé qu'il lui ait refusé cette grâce, du moins la première fois, et sans lui laisser l'espoir d'obtenir davantage. Donc il ne la refusera pas à cet homme qui fait appel à lui et le supplie, puisque tel est son principe de conduite. Et celle qui veut la tête, l'aura-t-elle ? Oui, s'il peut. « Chevalier, dit-il, il te faut combattre de nouveau avec moi, et je t'accorderai cette grâce, si tu veux défendre ta tête : je te laisserai reprendre ton heaume et t'armer tranquillement une nouvelle fois de pied en cap du mieux que tu pourras. Mais sache que tu mourras si je l'emporte sur toi une seconde fois. — Je ne demande rien de plus, répond son adversaire, et je ne souhaite pas d'autre grâce. — Et je te fais encore une belle faveur, ajoute-t-il, car je me battrai avec toi sans bouger de ma place. » L'autre s'équipe et ils reprennent le combat avec acharnement ; mais notre chevalier eut moins de mal à le vaincre que la première fois. Aussitôt la jeune fille lui crie : « Ne l'épargne pas, chevalier, quoi qu'il te dise, car il est certain qu'il ne t'aurait pas épargné, lui, dès la première fois qu'il l'eût emporté. Sache bien que si tu crois ce qu'il dit il t'abusera encore. Tranche la tête à l'homme le plus déloyal de l'empire et du royaume, noble chevalier, et donne-la-moi. Tu dois me la donner parce qu'un jour viendra, je pense, où j'aurai l'occasion de t'en récompenser. Mais s'il le peut, il t'abusera une nouvelle fois par ses discours. » L'autre, voyant sa mort approcher, crie très fort pour demander grâce ; mais ses cris ne peuvent plus rien pour lui, ni quoi qu'il puisse lui dire. En effet, le tirant par le heaume, notre chevalier en coupe toutes les sangles ; il lui fait glisser de la tête la ventaille et la coiffe brillante. Et l'autre s'affole de plus en plus : « Pitié, pour Dieu ! Pitié, vassal. — Sur le salut de mon âme, lui est-il répliqué, je n'aurai plus pitié de toi, puisque je t'ai déjà accordé une fois ma grâce. — Ah ! dit-il, vous commettriez un péché si vous écoutiez mon ennemie pour me faire mourir de cette façon-là. » Tandis que celle qui désire sa mort, parlant dans un sens opposé, l'invite à lui trancher rapidement la tête sans plus croire ses discours. Alors il frappe et la tête va voler par la lande tandis que le corps s'affaisse. La jeune fille en est heureuse et satisfaite[1]. Le chevalier prend la tête par les cheveux, et puis il la lui tend, et elle s'en réjouit, disant : « Puisse ton cœur éprouver autant de joie avec l'objet de son plus grand désir, que le mien en éprouve aujourd'hui avec l'objet de ma plus forte haine. Nulle chose ne m'était plus douloureuse que de le voir vivre si longtemps. Un présent de ma part t'attend, que tu recevras juste au bon moment. Ce service que tu m'as rendu te sera très profitable, tu peux me croire. Maintenant je vais partir, je te recommande à Dieu, pour qu'il te mette à l'abri des dangers. » Aussitôt la jeune fille s'en va, quand l'un et l'autre se sont recommandés à Dieu. Mais tous ceux qui ont assisté au combat sur la lande ont senti monter en eux un sentiment de joie intense. Ils désarmèrent aussitôt le chevalier, avec des transports de joie, et lui prodi-

guant toutes les marques d'honneur. Bientôt ils se lavèrent les mains de nouveau, car ils étaient pressés de repasser à table ; les voilà plus gais qu'ils n'étaient, aussi reprirent-ils le repas dans l'allégresse. Après un long repas, le vavasseur dit à son hôte assis à son côté : « Seigneur, il y a longtemps que nous sommes venus ici du royaume de Logres. C'est là-bas que nous sommes nés, aussi voudrions-nous bien que vous trouviez gloire, succès et joie en ce pays-ci ; nous y trouverions aussi notre avantage, comme ce serait le cas pour beaucoup d'autres si vous rencontriez la gloire et le succès sur le chemin de cette aventure.
— Dieu vous entende ! » a-t-il répondu.

Une fois que le vavasseur eut fini de parler, l'un de ses fils reprit la parole : « Seigneur, nous devrions mettre toutes nos forces à votre service en pratiquant le don plutôt que la promesse. Si vous aviez besoin d'accepter notre aide, nous ne devrions pas attendre que vous nous la demandiez pour vous l'offrir. Seigneur, ne vous faites pas de souci pour la perte de votre cheval car nous avons ici des chevaux très robustes. Je désire que vous receviez de nous un dédommagement : vous emmènerez le meilleur cheval pour remplacer le vôtre, vous en avez bien besoin.
— Bien volontiers », répond-il. Alors ils firent préparer les lits et allèrent se coucher. Dès le lever du jour, le lendemain matin, ils se levèrent et se préparèrent. Cela fait, ils se mirent en route. Au moment du départ le chevalier ne commit aucun impair, car il prit congé de la dame, du seigneur et de tous les autres. Mais je dois, pour ne rien omettre, vous raconter encore quelque chose : le chevalier ne voulut pas monter sur le cheval qu'on lui avait prêté en

le lui amenant au seuil de la porte ; il fit monter, je dois vous le dire, un des deux chevaliers qui étaient venus avec lui, et il prit en échange son cheval, car tel fut son bon plaisir. Une fois tout le monde en selle, ils se mirent en route tous les trois, ayant pris dans les formes congé de leur hôte qui les avait servis et honorés autant qu'il était possible. Ils allèrent cheminant sur la route la plus directe jusqu'à la chute du jour, et ils arrivèrent au Pont de l'Épée vers le soir, passée la neuvième heure[1]. À l'entrée de ce pont, qui était si terrible, ils descendirent de leur cheval et regardèrent l'eau traîtresse, noire, bruyante, rapide et chargée, si laide et épouvantable que l'on aurait dit le fleuve du diable ; elle était si périlleuse et profonde que toute créature de ce monde, si elle y était tombée, aurait été aussi perdue que dans la mer salée. Et le pont qui la traversait était bien différent de tous les autres ponts ; on n'en a jamais vu, on n'en verra jamais de tel. Si vous voulez savoir la vérité à ce sujet, il n'y a jamais eu d'aussi mauvais pont, fait d'une aussi mauvaise planche : c'était une épée aiguisée et étincelante qui formait ce pont jeté au-dessus de l'eau froide ; mais l'épée, solide et rigide, avait la longueur de deux lances. De part et d'autre il y avait un grand pilier de bois où l'épée était clouée[2]. Personne n'avait à craindre qu'elle se brise ou qu'elle plie, car elle avait été si bien faite qu'elle pouvait supporter un lourd fardeau. Mais ce qui achevait de démoraliser les deux compagnons qui étaient venus avec le chevalier, c'était l'apparition de deux lions, ou deux léopards, à la tête du pont de l'autre côté de l'eau, attachés à une borne en pierre. L'eau, le pont et les lions leur inspiraient une telle frayeur qu'ils tremblaient de peur et disaient : « Seigneur, écoutez un bon conseil sur ce que vous voyez, car vous en avez grand besoin. Voilà un pont mal fait, mal assemblé, et bien mal charpenté. Si vous ne vous repentez pas tant qu'il en est encore temps, après il sera trop tard pour le faire. Il faut montrer de la circonspection en plus d'une circonstance. Admettons que vous soyez passé (hypothèse aussi invraisemblable que d'empêcher les vents de souffler, les oiseaux de chanter, ou que de voir entrer un être humain dans le ventre de sa mère pour renaître ensuite ; une chose donc aussi impossible que de vider la mer[1]). Comment pouvez-vous en toute certitude penser que ces deux lions enragés, enchaînés de l'autre côté, ne vont pas vous tuer, vous boire le sang des veines, manger votre chair et puis ronger vos os ? Il me faut déjà beaucoup de courage pour oser jeter les yeux sur eux et les regarder. Si vous ne vous méfiez pas ils vous tueront, sachez-le bien. Ils auront vite fait de vous briser et de vous arracher les membres, et ils seront sans merci. Mais allons, ayez pitié de vous-même, et restez avec nous ! Vous seriez coupable envers vous-même si vous vous mettiez si certainement en péril de mort, de propos délibéré. » Alors il leur répondit en riant : « Seigneurs, je vous sais gré de vous émouvoir ainsi pour moi ; c'est l'affection et la générosité qui vous inspirent. Je sais bien que vous ne souhaiteriez en aucune façon mon malheur ; mais ma foi en Dieu me fait croire qu'Il me protégera partout : je n'ai pas plus peur de ce pont ni de cette eau que de cette terre dure, et je vais risquer la traversée et m'y préparer. Plutôt mourir que faire demi-tour ! » Ils ne savent plus que dire, mais la pitié les fait pleurer et soupirer tous deux très durement. Quant à lui, il fait de son mieux pour se préparer à traverser le gouffre. Pour cela il prend d'étranges dispositions, car il dégarnit ses pieds et ses mains de leur armure : il n'arrivera pas indemne ni en bon état de l'autre côté ! Mais ainsi il se tiendra bien sur l'épée plus tranchante qu'une faux, de ses mains nues, et débarrassé de ce qui aurait pu gêner ses pieds : souliers, chausses et avant-pieds[1]. Il ne se laissait guère émouvoir par les blessures qu'il pourrait se faire aux mains et aux pieds ; il préférait se mutiler que de tomber du pont et prendre un bain forcé dans cette eau dont il ne pourrait jamais sortir. Au prix de cette terrible douleur qu'il doit subir, et d'une grande peine, il commence la traversée ; il se blesse aux mains, aux genoux, aux pieds, mais il trouve soulagement et guérison en Amour qui le conduit et mène, lui faisant trouver douce cette souffrance. S'aidant de ses mains, de ses pieds et de ses genoux, il fait tant et si bien qu'il arrive sur l'autre rive. Alors lui revient le souvenir des deux lions qu'il pensait avoir vus quand il était encore de l'autre côté ; il cherche du regard, mais il n'y avait même pas un lézard, ni aucune créature susceptible de lui faire du mal. Il met sa main devant son visage pour regarder son anneau et il a la preuve, comme il n'y apparaît aucun des deux lions qu'il pensait avoir vus, qu'il a été victime d'un enchantement, car il n'y a là âme qui vive[2]. Quant à ceux qui sont restés sur l'autre rive, voyant qu'il a ainsi traversé, ils se réjouissent comme il est bien normal ; toutefois ils ne savent rien de ses blessures. Mais lui considère s'en être tiré à bon compte pour n'avoir pas subi là plus de dommage. Il étanche sur tout son corps le sang de ses blessures avec sa chemise. Alors il voit devant lui une tour si solidement construite qu'il n'en a jamais vu d'aussi impressionnante. À une fenêtre s'était appuyé le roi Bademagu qui était très subtil, avec un sens aigu de l'honneur et du bien, et dont le plus grand souci était de défendre et pratiquer partout la loyauté ; mais son fils, qui mettait tout son zèle à faire tout le contraire en toute circonstance, prenant plaisir à se montrer déloyal, et ne se fatiguant ni ne s'ennuyant jamais dans le mal, la trahison et le crime, s'était appuyé à ses côtés[1]. De leur observatoire ils avaient vu le chevalier passer le pont au prix de grandes souffrances et douleurs. La colère et la contrariété firent changer Méléagant de couleur. Il savait bien qu'on allait désormais lui disputer la reine ; mais c'était un chevalier qui par nature ne redoutait la force ni la fureur de personne, si grandes fussent-elles. Il aurait été le meilleur chevalier du monde s'il n'avait pas été traître et déloyal ; mais il avait un cœur de pierre, sans tendresse et sans pitié. Son père se satisfait et se réjouit de ce qui attriste beaucoup son fils. Le roi savait en toute certitude que celui qui avait traversé le pont était de beaucoup le plus courageux du monde ; car jamais ce passage n'aurait pu être tenté par une personne abritant en soi ce genre de lâcheté qui cause plus de honte à ses proches que la prouesse ne leur fait d'honneur. C'est que Prouesse n'a pas autant de pouvoir que Lâcheté et Paresse, car il est vrai, n'en doutez pas, qu'il est plus facile de mal agir que de bien faire.

J'aurais beaucoup à dire sur ces deux sujets, mais cela me prendrait trop de temps ; j'ai en tête une autre préoccupation et je retourne au texte de mon histoire ; vous allez entendre la façon dont le roi fait la leçon à son fils : « Fils, fait-il, ce fut par hasard que nous sommes venus, toi et moi, nous accouder à cette fenêtre ; nous avons été récompensés puisque nous avons pu assister au plus grand exploit qui ait jamais été réalisé, voire imaginé. Dis-moi, n'as-tu pas de reconnaissance pour l'auteur d'une action aussi extraordinaire ? Allons, accorde-toi et arrange-toi avec lui, rends-lui sans condition la reine ! Tu n'as rien de bon à attendre de cette lutte, elle peut au contraire présenter pour toi de graves inconvénients. Conduis-toi de façon à passer pour sage et courtois, et fais-lui conduire la reine avant qu'il ne te voie. Accueille-le sur ton territoire avec honneur en lui accordant ce qu'il est venu chercher avant qu'il ne te le demande. Car tu sais parfaitement bien que c'est la reine Guenièvre qu'il est venu chercher. Ne te fais pas tenir pour obstiné, fou, ou orgueilleux. S'il est venu seul sur ton territoire, alors tu dois lui tenir compagnie. La noblesse doit attirer la noblesse, l'honorer, l'entretenir gentiment, et non pas l'éloigner de soi. C'est en honorant qu'on se rend honorable. Sache bien que l'honneur sera pour toi si tu honores et aides celui qui est sans aucun doute le meilleur chevalier du monde. — Que Dieu me confonde, répond-il, s'il ne s'en trouve pas d'aussi bon, voire de meilleur. » Pourquoi l'a-t-on oublié, lui, Méléagant ? car il ne se juge pas inférieur à l'autre ! Et il ajoute : « Vous voulez sans doute qu'au garde-à-vous et mains jointes je devienne son vassal et lui rende hommage de ma terre[1] ? Que Dieu me vienne en aide, je préférerais encore lui rendre hommage que de lui rendre la reine. Assurément, jamais je ne la lui rendrai ; au contraire je la disputerai et la défendrai contre tous ceux qui seront assez fous pour oser venir la chercher. » Alors le roi reprend son argumentation : « Fils, il serait courtois de ta part de renoncer à cette idée obstinée. Je te conseille et te prie de choisir une issue pacifique. Tu sais bien que ce sera une déception pour le chevalier de ne pas conquérir la reine en se battant avec toi. Il doit préférer, sans erreur possible, l'obtenir par les armes que par un geste de générosité, car ce sera mis au crédit de sa gloire. À mon avis, il ne demande pas une restitution pacifique, mais il veut l'obtenir par les armes. C'est pourquoi tu agirais sagement en le privant de sa bataille. Je regrette beaucoup de te voir ainsi déraisonner. Mais si tu méprises mon conseil, je me sentirai moins concerné s'il t'arrive malheur — et il risque bien de t'en arriver un grand —, car le chevalier n'a rien à craindre ici de personne, sauf de toi. Au nom de tous mes hommes et de moi-même, je lui accorde en effet la sauvegarde d'une trêve. Je n'ai jamais commis d'acte déloyal, ni de trahison, ni de félonie et je ne vais pas commencer pour toi, pas plus que pour un étranger. Je ne cherche pas à te déguiser la vérité, mais je fais au chevalier la promesse explicite que tout ce dont il aura besoin, armes ou chevaux, il l'obtiendra du moment qu'il a fait preuve d'un tel courage en venant jusqu'ici. Sa sécurité sera assurée et observée par tout le monde sauf par toi. Ce que je veux bien te faire comprendre, c'est que s'il peut te résister il n'a rien à craindre de personne d'autre. — J'ai tout le temps pour vous écouter et garder le silence, fait Méléagant, pendant que vous direz tout ce qu'il vous plaira ; mais que m'importe tout ce que vous dites ? Je ne suis pas un ermite, ni un saint plein de charité, et je ne tiens pas à la considération des gens au point de lui donner pour la mériter la personne que j'aime le plus[1]. Il ne s'en tirera pas si rapidement ni si facilement. Les choses vont se passer tout autrement que vous et lui ne le pensez. Vous pouvez bien l'aider contre moi, ce n'est pas une raison pour nous fâcher. Si vous et vos gens observez une trêve et la paix, que m'importe ? Il en faut plus pour ébranler mon courage ; mais je suis très content, et Dieu en soit loué, qu'il n'ait que moi à redouter, et je vous demande de ne rien faire pour moi où l'on puisse soupçonner une intention déloyale ou quelque trahison. Soyez vertueux tant qu'il vous plaira, mais laissez-moi à ma cruauté. — Comment ? Tu ne voudrais pas agir autrement ? — Non, fait-il. — Alors je n'ai plus rien à dire. Maintenant fais de ton mieux, car je te laisse, et j'irai parler au chevalier. Je veux lui offrir aide et conseil en toute chose, car je suis entièrement de son côté. »

Alors le roi descendit de la tour et fit seller son cheval. On lui amena un grand destrier. Il mit le pied à l'étrier et monta, emmenant pour toute escorte trois chevaliers et deux hommes d'armes, qui partirent avec lui. Ils allèrent sans s'arrêter jusqu'au pont, où ils aperçurent le chevalier en train de panser ses plaies et d'en étancher le sang. Le roi pensa qu'il allait le garder longtemps chez lui pour guérir ses blessures, mais autant vouloir assécher la mer. Il se hâta de descendre de cheval, et le blessé s'est alors redressé pour l'accueillir, sans l'avoir reconnu, dissimulant le mal que lui faisaient ses pieds et ses mains, et se comportant comme s'il était parfaitement indemne. Le roi voyant les efforts qu'il faisait accourut vite pour le saluer, disant : « Seigneur, je suis très étonné de votre brusque arrivée chez nous, en ce pays. Mais soyez le bienvenu, car c'est un exploit qui restera sans exemple ; il n'est jamais arrivé et il n'arrivera jamais à personne d'avoir assez d'audace pour affronter semblable péril. Sachez-le, je vous estime davantage d'avoir réalisé un exploit que personne n'aurait seulement osé imaginer. Vous me trouverez aussi bien disposé envers vous que loyal et courtois. Je suis le roi de ce pays et je mets à votre entière disposition mon conseil et mon aide. Au reste, je me doute bien de l'objet de votre quête : c'est la reine, je crois, que vous cherchez. — Sire, vous l'avez deviné ; il n'y a aucune autre raison à ma venue ici. — Ami, vous risquez d'avoir à souffrir, fait le roi, avant de l'obtenir. Or vous êtes grièvement blessé ; je vois vos blessures tout ensanglantées. Vous ne rencontrerez pas chez celui qui l'a amenée ici une générosité telle qu'il vous la rende sans combat. Il vous faut plutôt du repos et des soins pour vos blessures jusqu'à leur complète guérison. Du baume aux trois Maries[1], ou un meilleur remède si possible, vous sera donné par mes soins, car je désire beaucoup votre rétablissement et votre guérison. La reine dans sa captivité bénéficie d'un régime de faveur car personne ne peut avoir de rapports charnels avec elle, pas même mon fils, son ravisseur, qui en est fort irrité. On n'a jamais vu un homme se mettre hors de lui et enrager comme il le fait. Cependant je suis de tout cœur avec vous et je vous donnerai volontiers, avec l'aide de Dieu, tout ce qu'il vous faut. Quelle que soit la qualité des armes dont disposera mon fils, je vous en donnerai — même s'il doit me le reprocher — d'aussi bonnes, avec le cheval dont vous aurez besoin. Et, en dépit des objections, je vous place sous ma protection envers et contre tous. Vous auriez tort de craindre qui que ce soit si ce n'est celui-là même qui a amené ici la reine. Jamais on n'a eu recours à autant de menaces que j'en ai utilisées à son égard, et peu s'en fallut que je ne le chasse de ma terre parce que je suis mécontent qu'il refuse de vous la rendre. Sans doute est-il mon fils ; mais vous n'avez pas de souci à avoir : s'il ne sort pas vainqueur du combat, il ne pourra pas contre ma volonté vous causer le moindre ennui. — Sire, répond-il, soyez-en remercié ! Mais je gaspille trop ici un temps précieux que je ne veux ni perdre ni gaspiller. Je ne me plains de rien, et je ne suis pas blessé au point d'être gêné. Conduisez-moi jusqu'à lui, car avec ces armes mêmes, dans l'état où je les porte, je suis prêt à reprendre sur-le-champ le jeu des coups donnés et reçus. — Ami, il serait préférable pour vous d'attendre quinze jours ou trois semaines jusqu'à la guérison de vos blessures. Un délai d'au moins quinze jours vous serait profitable, car en ce qui me concerne je n'accepterais à aucun prix (je ne supporterais pas ce spectacle) de vous laisser combattre devant moi ainsi armé et équipé. — Si vous l'aviez bien voulu, répond-il, il n'y aurait pas eu besoin d'autres armes pour que j'affronte la bataille, et je n'aurais pas demandé, même pour une heure, le moindre répit, délai, ou retard. Mais pour vous je consentirai à attendre jusqu'à demain ; et l'on perdrait son temps à plaider encore pour que j'attende davantage. » Alors le roi l'a assuré qu'il se conformera à sa volonté, puis il l'a fait conduire à sa résidence en donnant pour instructions à ceux qui l'emmènent de mettre tout en œuvre pour le servir, ce qu'ils firent scrupuleusement. Et le roi qui aurait bien voulu obtenir la paix, si c'était possible, retourna voir son fils et lui parla en se faisant l'avocat de la paix et de la concorde : « Beau fils, dit-il, mets-toi d'accord avec ce chevalier sans combattre ! Il n'est pas venu ici pour s'amuser, ni pour tirer à l'arc ou pour chasser, mais il est venu ici à la poursuite de sa gloire, voulant en accroître l'éclat et la renommée. Cependant il aurait grand besoin de repos, comme j'ai pu le constater. S'il avait écouté mon conseil il n'aurait ni ce mois-ci ni le suivant manifesté l'intention d'un combat dont il a pourtant déjà le plus vif désir. Si tu lui rends la reine, crains-tu le déshonneur ? Chasse cette peur, tu ne risques pour cela aucun blâme. Mais c'est une faute que de retenir une chose contre la raison et le droit. Il aurait volontiers commencé tout de suite le combat, bien qu'il n'ait plus ni main ni pied intact, car ils sont tout entaillés et meurtris. — C'est folie que de vous agiter ainsi, dit Méléagant à son père. Jamais, par la foi que je dois à saint Pierre, je ne vous suivrai dans cette affaire. Vraiment je mériterais d'être écartelé si je vous croyais. Il soigne son honneur ? Moi le mien ! Il cherche sa gloire ? Moi la mienne ! Il veut à tout prix se battre ? Eh bien, moi, cent fois plus ! — Je vois que la folie t'attire, réplique le roi ; eh bien, tu vas la rencontrer. Demain tu mesureras ta force à celle du chevalier, puisque tu le veux. — J'espère n'avoir jamais autre chose de plus grave à regretter que cette affaire ! dit Méléagant. Si seulement je pouvais me battre tout de suite, au lieu d'avoir à attendre demain ! Voyez ma mine, comme elle est plus déconfite que d'habitude ! Les yeux m'en sont tout troublés, et j'ai l'air très abattu ! Jusqu'à l'heure du combat je ne pourrai connaître ni joie, ni bonheur, ni bien-être, rien d'agréable ne peut m'arriver. »

Le roi a compris qu'il rejette absolument tout conseil et toute prière. Il l'a donc quitté à regret, et ayant choisi un cheval très puissant et docile, et de belles armes, il les envoya au chevalier : un présent bien judicieux ! Il y avait là un homme très âgé, au demeurant fort bon chrétien — il n'y avait pas plus loyal au monde — et qui savait guérir les plaies mieux que tous les médecins de Montpellier[1]. Pendant la nuit, il soigna le chevalier du mieux qu'il put, conformément aux instructions du roi. Déjà la nouvelle s'était répandue parmi les chevaliers, les jeunes filles, les dames et les barons de tout le pays alentour. Ils vinrent de tous les environs, étrangers ou gens du pays, tous chevauchèrent au plus vite durant toute la nuit jusqu'au matin. Tout ce monde se retrouva devant la tour au lever du soleil en une foule si dense qu'on n'y pouvait plus remuer un pied. Le roi s'était levé de bon matin. Le combat le préoccupait beaucoup. Il est donc retourné voir son fils qui avait déjà lacé sur sa tête un heaume fabriqué à Poitiers. Il n'était plus question de retarder le combat, encore moins de faire la paix ; c'est pourtant ce que le roi lui a demandé avec insistance, mais impossible de la lui faire accorder. C'est devant la tour, au milieu de la place où la foule s'est rassemblée, qu'aura lieu le combat, selon la volonté et les instructions du roi. Il fait appeler le chevalier étranger, et on le lui amène sur la place remplie par les gens de Logres. De même que pour entendre les orgues les gens ont l'habitude d'aller à l'église pour une fête annuelle, que ce soit à la Pentecôte ou à Noël, de même la foule s'était rassemblée tout entière. Pendant trois jours ils avaient jeûné, marchant pieds nus, en chemise, toutes les jeunes étrangères, originaires du royaume du roi Arthur, pour que Dieu donne force et vigueur à leur chevalier dans le combat qui devait l'opposer à son adversaire pour la libération des captifs. De leur côté les gens du pays priaient pour leur seigneur, afin que Dieu lui donne la victoire et l'honneur de la bataille. De bon matin, avant la première heure du jour, on a conduit sur la place les deux combattants en armes et chacun sur un cheval couvert de fer[1]. Méléagant avait noble et fière allure dans son haubert aux mailles fines bien ajusté, sous son heaume et avec son écu attaché à son cou : toute cette belle armure lui allait fort bien. Mais tout le monde préférait l'autre chevalier, même ceux qui auraient voulu sa défaite, et tous étaient d'avis que Méléagant ne faisait pas le poids en face de l'autre. Dès qu'ils furent arrivés tous les deux sur la place, le roi vint vers eux pour les retenir, si possible ; il fit de son mieux pour les mettre d'accord, mais il ne put fléchir son fils. Alors il leur dit : « Tenez vos chevaux en bride au moins jusqu'à ce que je sois monté sur la tour. Ce ne sera pas me faire une trop grande faveur que de retarder le combat au moins jusque-là. » Et puis il les quitta tout bouleversé et vint directement là où il savait pouvoir trouver la reine ; elle l'avait prié la veille au soir de la placer en un lieu lui permettant d'assister sans gêne au combat. Comme il lui avait donné son accord, il alla la chercher pour la conduire, car il tenait à lui rendre cet honneur et ce service. Il l'installa à une fenêtre, et lui-même se plaça à sa droite, accoudé à une autre fenêtre. Autour d'eux se trouvaient rassemblés en grand nombre chevaliers et nobles dames des deux pays, des jeunes filles nées au pays et beaucoup de captives absorbées dans les prières et les oraisons. Prisonniers et prisonnières priaient tous sans exception pour leur seigneur, comptant sur Dieu et sur lui pour les secourir et les délivrer. Les combattants firent alors reculer sans tarder toute la foule, et poussant les écus des coudes, ils passèrent les bras dans les courroies. Ils s'élancent avec une telle force qu'ils enfoncent leur lance dans l'écu de l'adversaire d'une profondeur de deux bras, si bien qu'elles volent en éclats et en miettes comme du petit bois. Les chevaux dans leur élan se sont heurtés de front et du poitrail, et les écus aussi, et les heaumes, faisant un vacarme qui fit penser à un fort coup de tonnerre ; il ne resta plus rien d'intact : poitrails, sangles, étriers, rênes et varangues, et les arçons, quoique robustes, furent arrachés des selles[1]. Il n'y avait pas de honte à tomber à terre après tous ces dégâts ! Ils furent vite sur pied pour reprendre le combat, sans bravades inutiles, plus farouchement que deux sangliers ; et ils assenèrent sans se perdre en menaces de grands coups de leurs épées d'acier, avec toutes les apparences d'une haine terrible. À plusieurs reprises ils entamèrent si rudement heaumes et hauberts luisants qu'avec le fer jaillit le sang. Ils se donnèrent si bien à la bataille qu'ils s'étourdirent et se blessèrent de leurs coups pesants et traîtres. Leurs assauts sauvages, durs et prolongés, les mettaient à égalité, sans que l'on pût encore décider qui gagnait, qui perdait. Mais on ne pouvait éviter que celui qui était passé sur le pont ne se ressentît des blessures qu'il avait aux mains. Cela suscitait une forte émotion chez les spectateurs qui lui étaient favorables. Voyant que ses coups faiblissaient, ils craignirent qu'il n'en fût handicapé. Déjà ils avaient l'impression qu'il avait le dessous et Méléagant le dessus, et la rumeur s'en répandait à la ronde. Mais il y avait aux fenêtres une jeune fille très sensée qui réfléchit et se dit que le chevalier n'avait certainement pas affronté la bataille pour elle, ni pour l'humble foule des spectateurs rassemblés sur la place, et que s'il l'avait entreprise, ce ne pouvait être que pour la reine. Elle pensa que s'il la savait à la fenêtre où elle se trouvait, en train de le regarder et de le contempler, il en reprendrait force et courage, et que si elle avait connu son nom elle l'aurait volontiers appelé pour qu'il jette là un bref regard. Alors elle vint trouver la reine et lui dit : « Dame, par Dieu je vous demande, pour votre bien comme pour le nôtre, de me dire le nom de ce chevalier, ce qui pourra l'aider, si vous le connaissez. — Votre requête, demoiselle, répondit la reine, ne me paraît inspirée ni par la haine ni par quelque sombre machination, mais par le souci de son intérêt. Lancelot du Lac, tel est le nom du chevalier, autant que je sache[1]. — Dieu ! Comme mon cœur, soulagé, en bondit de joie ! » dit la jeune fille. Alors elle s'avança puis cria si fort que toute la foule entendit sa voix très haute appeler : « Lancelot ! Retourne-toi et regarde qui est là, les yeux fixés sur toi ! »

Quand Lancelot entendit son nom, il n'attendit pas pour se retourner : derrière lui il vit, là-haut, la personne qu'au monde il désirait le plus pouvoir regarder, assise aux loges de la tour. De l'instant où il s'en rendit compte, il ne détourna ni ne bougea son regard ni sa tête, mais il se défendit par-derrière[1]. Et Méléagant cependant le pressait du mieux qu'il pouvait, tout heureux à la pensée qu'il ne pourrait plus se défendre contre lui. Ceux du pays s'en réjouirent, mais les autres furent si consternés qu'ils n'avaient plus de jambes, nombreux étant ceux qui, éperdus, tombèrent à terre à genoux, ou allongés. D'un côté c'est la joie, de l'autre la douleur. Alors la jeune fille de nouveau l'appela de la fenêtre : « Ah ! Lancelot ! Est-il possible que tu te comportes si stupidement ? Jusqu'alors tu avais en toi toutes les qualités de la prouesse ; j'ai la ferme conviction que jamais Dieu ne fit un chevalier qui pût se mesurer à ta valeur et à ta gloire. Et à présent nous te voyons si empoté que tu t'escrimes mains en arrière et combats en tournant le dos à l'adversaire ! Retourne-toi et passe de l'autre côté de manière à avoir toujours cette tour sous les yeux, car il fait bon la regarder ! » Lancelot ressent comme un déshonneur et une infamie, assez graves pour qu'il s'en méprise, d'avoir été le plus faible au combat ; tous et toutes l'ont bien remarqué. Alors il fait un bond en arrière et, contournant Méléagant, il le force à se tenir entre la tour et lui. Méléagant essaie de revenir de l'autre côté ; mais Lancelot s'élance contre lui et il le heurte si violemment de tout son poids avec son écu, quand il veut s'écarter, qu'il le fait chanceler à deux ou trois reprises, quoi qu'il lui en coûte. Et sa force et son audace grandissent sous l'effet d'Amour qui lui apporte un grand secours, et de la haine sans égale qu'il a conçue pour son adversaire en ce combat. Amour et cette haine mortelle, si grande qu'il n'y en a jamais eu de telle, le rendent si farouche et courageux que Méléagant ne le prend plus du tout à la légère, mais est saisi devant lui d'une crainte terrible, car jamais il n'avait rencontré ni connu un chevalier si hardi, et jamais aucun chevalier ne l'avait éprouvé ni malmené autant que celui-ci. Il cherche plutôt à prendre de la distance, il se dérobe, et fait des feintes, car il n'aime pas ses coups mais les évite. Or Lancelot ne s'en tient pas aux menaces mais, en le frappant, le chasse vers la tour où la reine est en observation. À plusieurs reprises il a rendu hommage à celle-ci et marqué son allégeance en amenant son adversaire à proximité, à la limite où il lui fallait s'arrêter car, un pas de plus, et il aurait cessé de la voir. C'est ainsi que Lancelot, à plusieurs reprises, repoussait son adversaire en arrière, en avant, partout où il le jugeait bon, sans manquer de s'arrêter devant sa dame, la reine, qui lui a mis au corps la flamme à force d'être regardée ; et cette flamme lui donnait tant d'ardeur contre Méléagant que partout où il voulait il pouvait le repousser et le chasser. Il le mène comme un aveugle ou un éclopé, malgré qu'il en ait. Le roi voit son fils si mal en point qu'il n'a plus de ressource pour se défendre. Il en ressent de la peine et de la compassion. Il va chercher un moyen d'y remédier. Mais il lui faut pour bien s'y prendre supplier la reine. Alors il a commencé à lui parler en ces termes : « Dame, je vous ai témoigné beaucoup d'amitié, sans cesser de vous servir et de vous honorer depuis que je vous ai reçue sous mon autorité. Tout ce que j'ai pu faire pour vous je l'ai fait à l'avantage de votre honneur.

Maintenant accordez-m'en la récompense. Je vais vous demander une faveur que vous ne devriez m'accorder que par pure amitié. Je vois bien que dans ce combat mon fils a le dessous, il n'y a pas de doute. Si je vous adresse une prière à ce sujet ce n'est pas par dépit, mais pour éviter que Lancelot ne le tue, car il en a le pouvoir. Et si vous devez aussi vouloir l'éviter, ce n'est pas qu'il ne l'ait bien mérité par sa conduite envers vous comme envers Lancelot, mais dites-lui pour moi — accordez-moi cette grâce, je vous en prie — d'arrêter le combat. C'est ainsi que vous pourriez me rendre tout le bien que j'ai pu vous faire, si vous le jugiez bon. — Beau sire, puisque vous m'en priez, je le veux bien, répond la reine. Même si j'éprouvais une haine mortelle envers votre fils, qu'en fait je n'aime pas, vous m'avez rendu de tels services que pour vous être agréable je veux bien que Lancelot arrête le combat. » Ces paroles ne furent pas prononcées à voix basse, mais Lancelot et Méléagant les ont bien entendues. Celui qui aime se montre obéissant et s'empresse de se conformer, s'il est parfait ami, au désir de son amie. Il fallait donc bien que Lancelot obéisse, puisqu'il était plus amoureux que ne le fut Pyrame[1], si jamais homme a pu aimer mieux que lui. Lancelot a bien entendu les paroles de son amie. Dès que le dernier mot fut sorti de sa bouche, quand elle eut dit : « Puisque vous voulez qu'il s'arrête, je le veux bien », Lancelot pour rien au monde n'aurait touché son adversaire ni n'aurait bougé, même au péril de sa propre vie. Il ne le touche ni ne bouge tandis que l'autre le frappe de toutes ses forces, transporté de colère et de honte quand il se voit réduit au point qu'il faille qu'on intercède pour lui. Quant au roi, il est descendu de la tour pour le réprimander ; il s'est avancé sur le lieu du combat et, aussitôt, apostrophant son fils : « Comment ? dit-il, est-il convenable que tu le frappes alors qu'il s'abstient de te porter des coups ? Tu es vraiment d'une sauvagerie trop cruelle, et tu fais trop le brave quand il n'est plus temps. Car il est évident pour tout le monde que c'est lui le plus fort. » Alors Méléagant égaré par la honte répliqua au roi : « Peut-être êtes-vous aveugle ? Que je sache, vous n'y voyez goutte ; il est aveugle celui qui doute que ce soit moi le plus fort. — Eh bien, cherche quelqu'un qui te croie ! Tous les spectateurs savent bien si tu dis vrai ou si tu mens. Nous savons bien où est la vérité. » Alors le roi donne l'ordre à ses barons de le faire reculer. Et eux, sans délai, exécutent son ordre : ils ont fait reculer Méléagant. Mais pour faire reculer Lancelot il ne fut pas nécessaire d'avoir recours à la force, car l'autre aurait pu lui faire beaucoup de mal avant qu'il ne riposte. Alors le roi dit à son fils : « Que Dieu m'assiste, mais maintenant il te faut faire la paix et relâcher la reine. Il te faut renoncer à toute cette dispute et clore le litige. — Vous venez de dire une fameuse bêtise ! Je viens d'entendre une argumentation sans objet ! Fuyez ! Laissez-nous donc nous battre, et ne vous en mêlez plus ! » Mais le roi répondit qu'il ne s'en priverait pas : « Car je sais bien que cet homme te tuerait si l'on vous laissait vous battre. — Il me tuerait ? Disons plutôt que j'aurais vite fait de le tuer, et je serais vite le vainqueur si vous ne nous gêniez pas mais nous laissiez nous battre. — Sur mon salut, dit alors le roi, tout ce que tu dis restera sans effet. — Et pourquoi ? — Parce que je ne veux pas. Je ne me fierai ni à ta folie ni à ton orgueil qui te conduiraient à la mort. Il est bien fou celui qui désire sa propre mort comme tu le fais, par inconscience ! Et je sais bien que tu me détestes parce que je veux t'en défendre. Mais jamais Dieu ne me laissera assister au spectacle de ta mort, du moins je le souhaite, car j'en éprouverais une trop grande douleur. » Finalement, à force d'arguments et de remontrances, on arrive à un accord sur la paix. Les termes de cet accord prévoient que, comme le roi le demande, Méléagant rende sa liberté à la reine à condition que Lancelot, sans faute, à l'heure et au jour qu'il lui assignera, après un délai d'un an vienne se battre de nouveau avec lui. Lancelot n'y voit aucun inconvénient. Alors tout le public se rallie à cet accord, et l'on décide que la bataille aura lieu à la cour du roi Arthur, qui règne sur la Bretagne et la Cornouaille. On décide que tel sera le lieu de la rencontre, mais il faut que la reine donne son accord et Lancelot, sa parole en sorte que, si Méléagant le réduit à sa merci, elle reviendra avec lui sans que personne puisse s'y opposer. La reine accepte cette clause et Lancelot s'y rallie. C'est sur cette base qu'on les a mis d'accord, séparés et désarmés.

La coutume établie au pays voulait que, si quelqu'un en sortait, tous les autres auraient la liberté d'en sortir. Tous bénissaient donc Lancelot, et vous pouvez bien imaginer la joie qui devait régner alors, et qui effectivement régna. Tous les étrangers se rassemblèrent pour fêter Lancelot, et ils dirent en chœur de manière à être entendus de lui : « Seigneur, vraiment grande fut notre joie quand nous entendîmes votre nom, car dès lors nous fûmes certains d'être bientôt délivrés. » Cette réjouissance provoqua un attroupement considérable, car chacun cherchait avec empressement un moyen de parvenir à lui pour le toucher. Plus on pouvait s'en approcher, plus on était envahi d'un bonheur inexprimable. En cette occasion il y eut à la fois beaucoup de joie et de tristesse, car ceux qui étaient libérés s'abandonnaient à leur joie, tandis que Méléagant et les siens n'avaient rien de ce qu'ils voulaient mais restaient plongés dans leurs pensées sombres et moroses. Le roi quitta la place sans oublier Lancelot qu'il emmena avec lui : ce dernier le pria de le conduire à la reine. « Ce n'est pas moi qui m'y opposerai, dit le roi, car cette démarche s'impose ; et je vous montrerai en même temps le sénéchal Keu, si bon vous semble. » Pour un peu Lancelot se serait jeté à ses pieds, si grande était sa joie. Le roi le conduisit aussitôt dans la grande salle où la reine était venue l'attendre.

En apercevant Bademagu qui tenait Lancelot par le doigt, elle se leva pour saluer le roi, mais montra un visage courroucé, baissant la tête sans dire un mot. « Madame, voici Lancelot qui vient vous voir, fait le roi ; c'est une visite qui doit vous sembler bien agréable et opportune. — À moi, sire ? Il ne peut pas me plaire ; je n'ai que faire de sa visite. — Eh là, Madame ! dit le roi qui était noble et courtois, d'où vous vient maintenant ce sentiment ? Vraiment c'est trop mépriser un homme qui vous a si bien servie, car dans cette aventure il a souvent exposé sa vie à de mortels dangers ; et il vous a porté secours et protection contre mon fils Méléagant, lequel ne vous a relâchée que bien à contrecœur. — Sire, il a vraiment perdu son temps. Je ne saurais nier que je ne lui en suis pas reconnaissante. » Voilà Lancelot tout désemparé. Il lui répond avec beaucoup d'élégance comme doit le faire un parfait amant : « Madame, j'en suis, il est vrai, fort affligé, mais je n'ose vous en demander la raison. »

Lancelot aurait eu de quoi se lamenter si la reine avait bien voulu l'écouter ; mais pour ajouter à sa douleur et à sa confusion, elle refusa de lui répondre un seul mot et se retira dans une chambre. Et Lancelot la suivit des yeux et du cœur jusqu'à l'entrée, mais pour les yeux le voyage parut bien court car la chambre était trop proche ; et ils seraient entrés avec elle bien volontiers, si c'eût été possible. Le cœur qui a plus de noblesse et d'autorité, et dispose de plus de pouvoir, est passé de l'autre côté derrière elle, tandis que les yeux sont restés dehors, pleins de larmes, avec le corps[1]. Alors le roi, le prenant à part, lui dit : « Lancelot, je me demande bien ce que cela signifie, et pour quelle raison la reine ne peut vous voir et ne veut vous parler. Si jamais elle avait l'habitude de vous parler, elle ne devrait pas maintenant s'y opposer, ni rejeter votre conversation, après tout ce que vous avez fait pour elle. Mais dites-moi si vous savez pour quelle affaire, pour quel méfait elle vous a réservé un tel accueil ? — Sire, il y a un instant encore je ne m'y attendais pas. Mais elle n'a pas envie de me voir, ni d'écouter ce que je pourrais lui dire ; cela me tourmente fort et m'accable. — Elle a certainement tort, dit le roi, car vous avez risqué votre vie en courant pour elle l'aventure. Venez donc, beau doux ami, vous irez parler au sénéchal. — C'est bien là que je veux aller », répond-il. Ils vont donc trouver le sénéchal. Quand Lancelot fut arrivé devant lui, le sénéchal lui lança d'entrée de jeu : « Comme tu m'as couvert de honte ! — Moi, et pourquoi ? répondit Lancelot ; dites-moi, quelle honte ai-je bien pu vous causer ? — Une bien grande, car tu es venu à bout de l'entreprise que je n'ai pu achever, tu as fait ce que je n'ai pu faire. »

Alors le roi les laisse ensemble, et il sort seul de la chambre, tandis que Lancelot demande au sénéchal s'il a beaucoup souffert. « Oui, répondit-il, et je souffre encore ; jamais je n'ai eu aussi mal ; il y a longtemps que je serais mort sans le roi qui vient de sortir, car dans sa miséricorde il m'a témoigné tant de douce amitié que, chaque fois qu'il en était informé, si j'avais besoin de quelque chose je ne manquais pas de l'obtenir : toutes dispositions étaient prises à la première nouvelle qu'il en recevait. Mais pour contrer tout le bien qu'il me faisait, son fils, inversement, plein de ruse maligne, convoquait les médecins, et leur donnait l'ordre de mettre sur mes blessures des onguents mortels. J'avais ainsi à la fois un père et un parâtre, car tandis que le roi me faisait appliquer un bon pansement sur mes blessures, voulant faire tout son possible pour que je guérisse rapidement, son fils, traîtreusement, voulant me faire mourir, le faisait retirer aussitôt et remplacer par un onguent nocif. Mais je suis convaincu que le roi l'ignorait, car il n'aurait pas toléré un assassinat aussi pervers[1]. Mais vous ne savez pas la faveur qu'il a accordée à ma dame ; jamais sentinelle n'a monté aussi bien la garde à la tour d'une frontière depuis le temps où Noé a fait l'arche comme on l'a fait pour protéger ma dame, car il ne la laisse même pas voir à son fils, ce qui le contrarie beaucoup, sinon devant un public officiel ou en sa propre présence. Il lui témoigne encore comme il lui a témoigné jusqu'ici, ce noble roi et grâces lui en soient rendues, tous les égards auxquels elle a pu prétendre. C'est elle-même et personne d'autre qui en a établi le protocole, et le roi n'a pu que l'estimer davantage, découvrant en elle tant de loyauté. Mais est-il vrai, comme on me l'a dit, qu'elle est si irritée contre vous qu'elle a publiquement refusé de vous adresser la parole ? — On vous a dit la vérité, fait Lancelot, c'est absolument vrai ! Mais, mon Dieu, pourriez-vous me dire pourquoi elle me hait ? » Et l'autre répond qu'il n'en sait rien, mais qu'il trouve cela très étrange. « Qu'il en soit selon sa volonté », dit Lancelot qui n'en peut mais, et il ajoute : « Je dois prendre congé, car je vais partir en quête de monseigneur Gauvain, qui lui aussi est entré dans ce pays ; il était convenu entre nous qu'il se dirigerait droit vers le Pont sous l'Eau. » Alors, quittant la chambre, il est venu trouver le roi pour prendre congé en vue de ce voyage. Le roi lui donna volontiers son accord ; mais ceux qu'il avait délivrés en mettant fin à leur captivité lui demandèrent ce qu'ils allaient faire. Il leur répondit : « Je prendrai avec moi tous ceux qui voudront venir ; quant à ceux qui voudront tenir compagnie à la reine, ils n'auront qu'à le faire car il n'y a pas de raison qui les oblige à venir avec moi. » Partent donc avec lui tous ceux qui le veulent, avec une joie et un enthousiasme inhabituels. Avec la reine restent les jeunes filles, toutes joyeuses, les dames et de nombreux chevaliers ; pourtant personne n'aurait voulu rester sur place car chacun aurait préféré rentrer au pays plutôt que de prolonger le séjour. Mais c'est la reine qui les a retenus à cause de Gauvain qui devait arriver, elle a dit qu'elle ne bougerait pas tant qu'elle n'aurait pas de ses nouvelles.

Partout se répand la nouvelle que la reine est libre, et que tous les prisonniers sont libérés et ont l'autorisation de partir quand il leur plaira et quand bon leur semblera. Chacun se renseigne auprès de l'autre, et ce fut l'unique sujet de conversation dans les réunions. Ils ne furent pas fâchés que les redoutables postes de contrôle fussent démantelés, si bien qu'on pouvait aller et venir comme on voulait : les conditions avaient bien changé ! Mais quand les gens du pays qui n'avaient pas assisté à la bataille apprirent comment Lancelot s'en était tiré, tous se rendirent sur le chemin qu'il devait emprunter ; car ils s'imaginaient que le roi serait content s'ils s'emparaient de Lancelot et le lui ramenaient. Ses gens à lui, qui avaient négligé de s'armer, furent malmenés par ceux du pays qui, eux, arrivaient en armes. Dès lors il ne faut pas s'étonner qu'ils aient pu prendre Lancelot qui lui aussi se trouvait sans armes. Ils le ramenèrent captif vers l'arrière, les pieds attachés sous le ventre de son cheval. Ses gens protestèrent : « Vous commettez une mauvaise action, seigneurs, car nous avons le sauf-conduit du roi. Nous avons tous sa garantie. — Nous ne sommes pas au courant, répliquèrent les autres, mais dans l'état où vous avez été pris il vous faudra venir à la cour. » La rumeur, qui vite vole et court, vient apprendre au roi que ses gens ont pris Lancelot et l'ont tué. Entendant cela, le roi est accablé ; il jure, non sur sa tête, mais sur ce qu'il a de plus précieux encore, que ceux qui l'ont tué en mourront à leur tour, sans défense possible, car s'il peut les attraper et les prendre il n'y aura plus qu'à choisir entre la pendaison, le bûcher et la noyade. Ils auront beau nier leur crime, il ne risquera pas de se laisser convaincre, avec la grande douleur qu'ils lui ont mise au cœur, et la grave honte du méfait qui rejaillirait sur lui s'il n'en prenait pas vengeance ; mais il la prendra, qu'on n'en doute pas !

La rumeur continuant son chemin est rapportée à la reine alors qu'elle était à table. Pour un peu elle se serait tuée à l'instant même où elle apprit cette fausse nouvelle. C'est qu'elle la crut vraie, et sous le coup de l'émotion peu s'en fallut qu'elle perdît la parole. Mais elle dit tout haut en s'adressant à l'assistance : « Je suis vraiment peinée par cette mort, et si j'éprouve de la peine, ce n'est que justice car il est venu en ce pays pour moi : c'est pour cette raison que je dois ressentir de la peine. » Puis elle se dit tout bas, de manière à ne pas être entendue, qu'il ne faudra plus lui demander de boire ni de manger s'il est vrai qu'est mort celui dont la vie donnait un sens à la sienne. Aussitôt, douloureuse, elle se lève de table pour se lamenter sans être entendue ni surprise par personne. Elle est si follement poussée à se tuer qu'à plusieurs reprises elle se prend à la gorge. Mais avant elle veut se confesser à elle-même, avec repentir et remords pour sa faute, se blâmant, s'accusant sévèrement du péché commis à l'égard de celui dont elle savait qu'il avait été toujours à elle et le serait encore s'il était vivant. Elle regrette si fort d'avoir été cruelle que sa beauté en est très altérée. Sa cruauté, sa félonie lui assombrissent le visage, le ternissent même à force de veiller et de jeûner. Récapitulant tous ses méfaits, alors qu'ils lui reviennent en mémoire, elle se les rappelle tous et ne cesse de dire : « Hélas !

quelle idée m'est venue, lorsque mon ami se présenta devant moi, de ne pas daigner lui témoigner ma joie, ni même de l'entendre ! Quand je lui refusai de me voir et de m'entendre, ne me suis-je pas comportée comme une folle ? Une folle ? Disons plutôt, ma foi, une cruelle traîtresse. Je ne pensai pourtant le faire que par plaisanterie, mais il ne vit pas le fait de cette façon et il ne me l'a pas pardonné. Personne d'autre que moi ne lui a donné le coup mortel, que je sache. Quand il vint devant moi en riant, persuadé que je lui témoignerais ma grande joie, que je lui accorderais un entretien, alors que je le bannis de ma vue, est-ce que cela n'a pas été un coup mortel ? Quand je lui ai refusé ma conversation, je le privai du même coup, je pense, de son cœur et de la vie. C'est ce double coup qui l'a tué, il me semble, ne cherchons pas d'autres assassins. Eh ! Dieu ! Est-il possible de racheter ce meurtre, ce péché ? Non, vraiment, pas avant que tous les fleuves ne soient taris et la mer asséchée ! Hélas ! Comme je serais plus tranquille, et quel réconfort ce serait pour moi si une seule fois avant sa mort j'avais eu l'occasion de le tenir entre mes bras. De quelle manière ? Eh bien, tout nus l'un et l'autre pour jouir d'un plus grand bonheur. Maintenant qu'il est mort, il faut être mauvaise pour ne pas tout faire pour mourir aussi... Mais au fond pourquoi ? Est-ce que cela fait du tort à mon ami si je reste vivante après sa mort sans cultiver d'autre passion que dans les souffrances que j'endure pour lui ? Si c'est là mon divertissement après sa mort, certes il eût apprécié, vivant, de me voir désirer ainsi souffrir pour lui. Il faut être mauvaise pour préférer la mort à la souffrance pour son ami. Mais quant à moi, certes, mon plus grand plaisir est de prolonger cette douleur. Les coups supportés dans la vie ont plus de mérite que le repos de la mort. » La reine mena ce deuil pendant deux jours sans manger ni boire, et finalement on pensa qu'elle était morte. On trouve toujours des gens pour colporter des nouvelles, les mauvaises plutôt que les bonnes. C'est ainsi qu'on annonça à Lancelot que sa dame et amie était morte. Il en fut accablé, n'en doutez pas. Tout le monde comprendra bien le poids de sa tristesse et de sa douleur. Il fut en fait à ce point accablé que, si vous voulez entendre et connaître la vérité, il en vint à mépriser sa vie. Il voulut se suicider sans délai, mais auparavant il fit entendre ses plaintes[1]. Il prit la ceinture qu'il avait autour de sa taille pour lui faire un nœud coulant à une extrémité tout en se lamentant, les larmes aux yeux : « Ah ! Mort ! Tu as su me prendre en défaut ! Tu me rends malade en pleine santé ! Je suis malade, et pourtant je n'éprouve aucun mal sauf cette douleur qui me tombe sur le cœur. Cette douleur est dangereuse, voire mortelle. Soit, je veux bien qu'elle soit telle et, s'il plaît à Dieu, j'en mourrai. Comment ? N'y a-t-il pas d'autre façon de mourir, si celle-ci ne plaît à Dieu ? Si, pourvu qu'il me laisse serrer ce nœud coulant autour de ma gorge, car c'est ainsi que je pense forcer la Mort à me tuer malgré elle, cette Mort qui n'a jamais désiré que ceux qui ne veulent pas d'elle ne veut pas venir, mais ma ceinture me l'amènera captive, et une fois en mon pouvoir elle fera tout ce que je voudrai. Oui, mais elle mettra pour moi trop de temps à venir : je suis si impatient de l'avoir ! » Alors, sans autre attente ni délai, il fait passer sa tête dans le nœud coulant qu'il ajuste à son cou. Et pour bien préparer son malheur il attache solidement l'autre bout de la ceinture à l'arçon de sa selle sans que personne ne s'en rende compte. Puis il se laisse glisser à terre[1]. Il veut se faire traîner par son cheval pour mourir étranglé ; il ne daigne pas vivre une heure de plus. En le voyant tombé à terre, ceux qui chevauchaient avec lui pensèrent qu'il était évanoui, car personne n'aperçut le lacet dont il avait serré son cou. Aussitôt ils l'ont redressé en le prenant dans leurs bras pour le relever, et c'est ainsi qu'ils ont découvert le lacet dont il avait fait son ennemi en le passant autour de son cou. Ils s'empressent de le trancher. Mais le lacet avait infligé à sa gorge une telle punition qu'il resta un bon moment sans pouvoir parler. Il s'en fallut de peu que toutes les veines du cou et de la gorge ne fussent rompues. Après cela, quand bien même il l'aurait voulu, il n'eut plus la possibilité de se faire du mal. Il ne supportait pas d'être surveillé, et il se consumait presque de fureur : il aurait en effet bien voulu se tuer, si personne n'y avait prêté garde. Mais comme il ne pouvait plus se faire de mal, il se dit : « Ah ! vile Mort méprisable. Mort, par Dieu, n'avais-tu donc pas assez de pouvoir et de force pour me tuer à la place de ma dame ? Peut-être est-ce pour éviter une bonne action que tu n'as pas daigné le faire ? Tu m'as épargné par traîtrise, on ne pourra en juger autrement. Ah ! quel service et quelle bonté ! Comme tu as bien choisi ton but ! Maudit soit celui qui t'en remerciera ou t'en saura gré ! Je ne sais quel est mon plus grand ennemi, la Vie qui me désire, ou la Mort qui ne veut pas m'occire ! L'une et l'autre veulent ma perte. Mais il est juste, par Dieu, que je vive contre mon gré, car j'aurais dû me tuer aussitôt que ma dame me fit apparaître sa haine. Ce n'était pas sans raison, il y avait sans doute une explication, mais je ne sais pas laquelle. Si je l'avais su, avant que son âme n'allât devant Dieu je lui aurais fait réparation avec tout l'éclat qui lui aurait convenu, pourvu qu'elle ait un peu pitié de moi. Dieu, ce forfait, qu'a-t-il bien pu être ? Sans doute a-t-elle appris, je l'imagine, que je suis monté sur la charrette. Je ne vois pas ce qu'elle aurait d'autre à me reprocher. C'est cela qui m'a trahi. Mais si c'est la raison de sa haine, Dieu ! ce forfait, pourquoi m'a-t-il perdu ? Il faut bien mal connaître Amour pour m'en faire un grief. Jamais bouche d'homme ne pourrait nommer un acte qui, inspiré par Amour, mériterait le blâme. Relève de l'amour et de la courtoisie tout ce qu'on peut faire pour son amie. Mais je ne l'ai pas fait exactement pour mon amie. Je ne sais comment l'appeler, hélas ! Je ne sais si je dois dire « amie » ou non, je n'ose pas lui donner ce surnom. Mais selon tout ce que je connais en amour, elle n'aurait pas dû me mépriser, si elle m'aimait, mais au contraire me tenir pour son ami véritable, puisque je considérais comme honorable de faire tout ce que veut Amour, même de monter sur la charrette. Elle aurait dû mettre cela au compte de l'amour car c'en est la pierre de touche. C'est ainsi qu'Amour met les siens à l'épreuve, c'est ainsi qu'Amour reconnaît les siens. Mais ma dame n'a pas apprécié cette façon de la servir, je m'en suis bien rendu compte à l'accueil qu'elle m'a réservé. Et pourtant son ami a encouru pour elle, de la part de bien des gens, honte, reproche et blâme. J'ai accepté de jouer ce jeu dont on me blâme et de recevoir, au lieu de douces paroles, des propos amers, car ma foi, c'est la réaction habituelle de ceux qui ne connaissent rien à l'amour et qui lavent l'honneur dans la honte ; mais qui plonge l'honneur dans la honte ne le lave pas, il le souille. Or ils sont mal initiés à Amour ceux qui multiplient les propos méprisants, et ils lui sont d'autant plus infidèles qu'ils n'en respectent pas les commandements. Car, à coup sûr, il accroît son mérite celui qui fait ce qu'Amour commande ; dans ce cas tout lui sera pardonné ; au contraire celui qui n'ose pas le faire est coupable de trahison[1]. »

Ainsi se lamente Lancelot, et c'est avec tristesse que ses gens à ses côtés le gardent et le retiennent. Sur ces entrefaites arrive la nouvelle que la reine n'est pas morte. Voilà aussitôt Lancelot consolé, et s'il avait auparavant déploré sa mort longuement, sauvagement, vigoureusement, il se réjouit cent mille fois plus encore de la savoir en vie. Et quand ils arrivèrent à six ou sept lieues du séjour qui abritait le roi Bademagu, on lui rapporta sur Lancelot cette nouvelle qui lui fut très agréable et qu'il entendit volontiers, à savoir qu'il était vivant et arrivait sain et sauf. Il tira délicatement parti de cette nouvelle, car il l'alla rapporter à la reine. Alors elle lui répondit : « Beau sire, puisque vous le dites, je le crois. Mais s'il était mort je vous garantis que je n'aurais plus jamais été heureuse. J'aurais bien perdu toute joie si un chevalier en me servant avait reçu et accepté la mort. »

Alors le roi la quitte, et la reine est très impatiente de retrouver, avec son ami, sa joie. Il n'est plus question de lui chercher querelle pour quoi que ce soit. Or la rumeur qui ne se repose jamais, mais court toujours, apportant des nouvelles, vint apprendre à la reine que Lancelot se serait tué pour elle si on lui en avait laissé le loisir. Cette rumeur la réjouit et elle y ajouta foi, mais pour rien au monde elle n'aurait voulu qu'il le fît car c'eût été un trop grand malheur pour elle. Entre-temps est arrivé Lancelot qui s'était dépêché le plus possible. Dès que le roi l'aperçut, il courut l'embrasser. Il lui semblait qu'il allait voler tant sa joie le rendait léger. Mais ce qui mit bientôt un terme à la réjouissance, c'est le sort de ceux qui l'ont pris et attaché. Le roi leur dit qu'ils regretteront d'être venus, qu'ils peuvent se considérer comme morts et exterminés. Alors ils dirent pour toute excuse qu'ils pensaient lui faire plaisir. « Cela me déplaît, si vous avez trouvé cela bien, répondit le roi ; cela ne concerne pas Lancelot, car ce n'est pas à lui que vous avez porté préjudice, mais à moi qui lui avais donné sauf-conduit. Quoi qu'il en soit la honte est pour moi. Mais vous ne rirez plus au sortir d'ici. »

Quand Lancelot l'entendit se mettre en colère, il fit tout ce qu'il put pour ramener et rétablir la paix, si bien qu'il y réussit. Alors le roi l'emmena voir la reine. Cette fois la reine ne baissa pas les yeux, mais elle s'avança gaiement pour l'accueillir ; elle lui témoigna toutes les marques d'estime en son pouvoir et le fit asseoir à côté d'elle. Puis ils parlèrent à loisir de tout ce dont ils eurent envie, et la matière ne leur manquait pas, car Amour la leur fournissait largement. Et quand Lancelot se rendit compte que tout allait bien, que tout ce qu'il disait plaisait à la reine, il lui fit cette confidence : « Dame, je me demande avec perplexité pourquoi vous m'avez réservé cet accueil, avant-hier, en me voyant, car vous ne m'avez pas adressé une seule parole. Vous m'avez presque ainsi donné la mort, et je n'ai pas eu alors l'audace — que j'ai aujourd'hui — de vous en demander la raison. Dame, je suis prêt à vous en faire réparation, encore faut-il que vous m'ayez énoncé ce forfait qui m'a valu un si grand tourment. » Alors la reine lui explique : « Comment ? N'avez-vous donc pas eu honte de la charrette, n'avez-vous pas hésité ? Vous y êtes monté à grand regret, ayant marqué une attente le temps de faire deux pas. Et voilà la raison, vraiment, pour laquelle je refusai de vous parler et de vous regarder. — Puisse Dieu me garder une autre fois d'un tel forfait, dit Lancelot, et que Dieu n'ait jamais pitié de moi s'il n'est pas vrai que vous étiez tout à fait dans votre droit. Dame, par Dieu, recevez-en de moi ici même réparation, et si vous devez un jour me le pardonner, pour Dieu, dites-le-moi ! — Ami, vous êtes tout à fait quitte, fait la reine, et sans réserve. Je vous pardonne cette faute de bonne grâce. — Dame, dit-il, soyez-en remerciée ; mais je ne puis vous dire ici tout ce que je voudrais ; je vous parlerais volontiers plus à loisir, si c'était possible. » Alors la reine lui montre une fenêtre, de l'œil, et non du doigt, ajoutant : « Venez me parler à cette fenêtre, cette nuit, quand tout le monde ici sera endormi. Vous viendrez par le verger. Vous ne pourrez pas entrer ni vous installer pour la nuit. Je serai à l'intérieur et vous dehors, puisque vous ne pourrez y pénétrer. Et je ne pourrai pas venir jusqu'à vous, sinon en vous parlant de ma bouche et vous touchant de la main. Mais s'il vous plaît je resterai là jusqu'à demain pour l'amour de vous. Nous ne pourrions pas nous trouver ensemble puisque dans ma chambre, devant moi, est couché le sénéchal Keu, rendu invalide par les blessures dont il est couvert. Et puis la porte ne reste pas ouverte, mais elle est bien fermée et bien gardée. Quand vous viendrez, prenez garde que nul surveillant ne vous surprenne. — Madame, je ferai en sorte que nul guetteur ne m'aperçoive qui puisse en concevoir une mauvaise pensée ou quelque médisance. » C'est ainsi qu'ils ont pris rendez-vous, et ils se séparèrent gaiement.

Lancelot sortit de la chambre si heureux qu'il avait oublié jusqu'au dernier de ses nombreux ennuis. Mais la nuit tardait trop à son gré, et le jour lui a paru plus long, sous l'effet de son impatience, que cent jours habituels, voire qu'une année entière. Il aurait bien voulu aller déjà au rendez-vous : si seulement il avait fait nuit ! À force de lutter pour vaincre le jour, la nuit noire et obscure réussit à tirer sur lui son rideau et à lui imposer son manteau. Quand il vit le jour assombri, il fit comme s'il était las et fatigué. Il dit qu'ayant beaucoup veillé il avait besoin de se reposer. Vous pouvez bien comprendre et interpréter, vous qui avez usé du même stratagème, que pour les gens de son logis il jouait la lassitude et le besoin de se mettre au lit ; mais il n'avait pas tellement envie de son lit, car pour rien au monde il ne s'y serait reposé : il n'aurait pas pu, il n'aurait pas osé, il n'aurait même pas voulu en avoir le courage ni le pouvoir d'y penser. Bientôt il se releva en douceur, sans regretter qu'il n'y ait ni lune ni étoile qui luise ni, dans la maison, chandelle, lampe ou lanterne allumée. Il partit en faisant attention que personne ne s'en avise ; ils le croyaient tous endormi dans son lit pour toute la nuit. Sans escorte et sans guide, il s'en alla vite en direction du verger et ne rencontra personne. Il avait de la chance car un pan de mur s'était écroulé récemment dans le verger. Il passa rapidement par cette brèche et avança jusqu'à la fenêtre. Là il se tint immobile, évitant de tousser et d'éternuer. Enfin la reine arriva dans une chemise bien blanche ; elle n'avait pas mis de bliaut ni de cotte, mais avait jeté par-dessus un court manteau d'écarlate et de marmotte. Quand Lancelot vit la reine incliner sa tête à la fenêtre armée de gros barreaux de fer, il l'honora d'un salut très tendre, qu'elle lui rendit aussitôt, car tous deux étaient sous l'empire du désir, lui d'elle et elle de lui. Il n'y eut entre eux ni vilaines paroles ni ennuyeux débats. Ils se rapprochèrent le plus possible l'un de l'autre et tous deux purent alors se tenir par la main. Qu'il leur fût impossible de se rejoindre leur était insupportable, et ils maudissaient les barreaux. Mais Lancelot se fit fort, si cela convenait à la reine, d'entrer chez elle : ce ne sont pas les barreaux qui l'arrêteraient. La reine lui répondit : « Ne voyez-vous pas que ces barreaux sont trop rigides pour être pliés et trop solides pour être brisés ? Et vous aurez beau les agripper, les tirer vers vous, les secouer, vous ne pourrez pas les arracher. — Madame, dit-il, ne vous inquiétez pas ! Je ne pense pas qu'un barreau de fer puisse être de quelque importance. Aucun obstacle, sauf venant de vous, ne peut m'empêcher de parvenir jusqu'à vous. Si vous m'en octroyez la permission, la voie est libre ; si au contraire cela ne vous est pas tout à fait agréable, alors il y a là un obstacle insurmontable que rien ne me fera franchir. — Certainement, dit-elle, je le veux bien, ce n'est pas ma volonté qui vous retiendra. Mais il vous faut attendre que je sois couchée dans mon lit pour éviter qu'il ne vous arrive malheur à cause du bruit. Ce ne serait ni amusant ni drôle si le sénéchal qui dort ici était réveillé par quelque bruit venant de nous. Aussi est-il raisonnable que je m'en aille, car il n'aurait pas bonne impression s'il me voyait ici, debout. — Madame, dit-il, il est donc temps de partir, mais n'ayez crainte, je ne ferai pas de bruit. Je pense extraire les barreaux en douceur sans avoir trop d'effort à faire, et sans réveiller personne. »

Alors la reine s'éloigne et lui se prépare, prenant ses dispositions pour venir à bout de la fenêtre. Il saisit les barreaux, les secoue, les tire si bien qu'il les fait plier et les arrache de leur scellement. Mais le fer était si coupant qu'il se fit une entaille à la première phalange du petit doigt jusqu'aux nerfs, et qu'il se trancha complètement la première articulation du doigt voisin[1]. Mais ni des gouttes de sang qui en tombent, ni d'aucune blessure il n'a conscience, car il a une tout autre préoccupation. La fenêtre est loin d'être basse, et pourtant Lancelot y passe très rapidement et lestement. Il trouve Keu endormi dans son lit et puis il arrive au lit de la reine. Il reste en adoration en s'inclinant devant elle, car c'est le corps saint auquel il croit le plus[2]. Alors la reine lui tend les bras, les passe autour de lui, et puis le serre étroitement sur sa poitrine. Ainsi elle l'a attiré dans son lit, lui réservant le meilleur accueil qu'elle puisse jamais lui faire, car c'est Amour et son cœur qui lui dictent sa conduite, c'est inspirée par Amour qu'elle lui fait fête. Mais si elle éprouve pour lui un grand amour, lui éprouve pour elle un amour cent mille fois plus grand, car Amour n'a rien fait avec tous les autres cœurs en comparaison de ce qu'il a fait avec le sien. Dans son cœur Amour a repris force, si exclusivement que dans les autres cœurs on n'en voit qu'une pauvre image. Maintenant Lancelot a tout ce qu'il veut puisque la reine accueille avec faveur sa compagnie et ses caresses, puisqu'il la tient entre ses bras comme elle le tient entre les siens. Ce jeu lui est si doux et si bon, ce jeu des baisers, ce jeu des sens, qu'ils ont connu une joie si merveilleuse qu'on n'en a jamais entendu décrire, jamais connu de semblable. Mais quant à moi je n'en dirai pas davantage, car il est interdit à un conte d'en parler. C'est parmi les joies les plus prisées et la plus délicieuse, celle précisément pour laquelle le conte garde le silence et le secret. Lancelot eut beaucoup de joie et de plaisir toute cette nuit-là. Mais le jour arriva à son grand regret, et il dut se lever d'auprès de son amie. Ce lever fit de lui un vrai martyr, tant fut douloureuse la séparation ; il souffrit là un dur martyre. Son cœur continue d'être attiré du côté où est restée la reine. Il n'a pas la force de l'emmener car la reine l'a tellement charmé qu'il ne désire plus la quitter : le corps s'en va mais le cœur reste. Lancelot retourne droit à la fenêtre. Mais de son corps il reste quelque chose, car les draps sont tachés et colorés par le sang qui est tombé de ses doigts. En s'en allant, Lancelot éprouve une grande détresse, le cœur plein de soupirs et les yeux pleins de larmes. Il n'a pas été question d'un nouveau rendez-vous, il en est peiné, mais c'était chose impossible. Il franchit avec regret la fenêtre par où il était entré avec tant d'enthousiasme. Il n'avait plus ses doigts intacts, s'étant gravement blessé. Et pourtant il a redressé les barreaux et les a remis dans leurs scellements, si bien que ni de l'intérieur ni de l'extérieur, ni en haut ni en bas il n'apparaissait que l'on eût ôté, tiré ou plié l'un d'entre eux. Au moment de s'éloigner, il a fait une génuflexion en direction de la chambre, comme on peut le faire devant un autel. Puis il est parti le cœur serré, sans rencontrer personne qui le connaisse, et finalement il a rejoint son logis. Il s'est recouché dans son lit sans éveiller personne. Et c'est alors que pour la première fois il découvrit avec étonnement qu'il était blessé aux doigts. Mais il ne s'en alarma pas, sachant bien que c'est en retirant du mur les barreaux de la fenêtre qu'il s'était blessé. Aussi n'en éprouva-t-il aucun regret, car il aurait préféré avoir les deux bras arrachés que de ne pas avoir franchi la fenêtre. Pourtant, s'il s'était ainsi blessé et gravement mutilé en d'autres circonstances, il en aurait ressenti beaucoup de douleur et de fureur.

Sur le matin, dans sa chambre garnie de tentures, la reine s'était doucement endormie[1]. Elle ne s'était pas rendu compte que ses draps étaient tachés de sang, s'imaginant qu'ils étaient toujours blancs, beaux et propres. Or Méléagant, dès qu'il fut prêt et habillé, est venu à la chambre où reposait la reine. Il la trouve réveillée et il voit les draps tout tachés de gouttes de sang frais ; il pousse du coude ses compagnons et, comme pour faire son enquête sur un crime, il regarde en direction du lit de Keu, et voit que ses draps sont aussi tachés de sang ; en effet, sachez que cette nuit-là ses blessures s'étaient rouvertes. Alors il dit : « Madame, cette fois j'ai trouvé les indices que je cherchais. Il est bien vrai qu'il faut être fou pour se donner du mal à garder une femme ; on y perd son travail et sa peine. Elle échappe encore plus vite à celui qui fait tout pour la garder qu'à celui qui ne fait pas attention. Mon père a bien monté la garde, vous surveillant par peur de moi ! Il vous a bien gardée de moi ! Mais cette nuit, malgré lui, le sénéchal Keu vous a regardée de près, et il a obtenu de vous tout ce qu'il voulait ; ce sera très vite prouvé. — Et comment ? fait-elle. — J'ai trouvé du sang sur vos draps, et c'est ce qui en témoigne, puisqu'il faut entrer dans les détails. Je sais tout, et je le prouve, parce que je trouve sur vos draps comme sur les siens le sang qui a goutté de ses plaies : il y a là des preuves irréfutables[1]. » Alors pour la première fois la reine aperçut dans l'un et l'autre lit les draps sanglants, et elle s'en étonna. Elle eut honte et devint toute rouge. « Que le Seigneur Dieu me garde, dit-elle, ce sang que je vois sur mes draps, ce n'est pas Keu qui l'apporta ; mais cette nuit j'ai eu un saignement de nez ; cela vient de mon nez, je pense. » Et elle croit dire la vérité. « Sur ma tête, répliqua Méléagant, ce que vous dites et rien, c'est la même chose. Il ne sert à rien de raconter des histoires, car vous êtes prise en flagrant délit, et la vérité sera bien établie. » Il dit alors aux gardes qui se trouvaient là : « Seigneurs, ne bougez pas d'ici et veillez que ne soient pas ôtés les draps de lit jusqu'à ce que je revienne. Je veux que le roi me rende justice quand il aura vu la chose. » Il partit alors à sa recherche et finit par le trouver. Il se laissa tomber à ses pieds, disant : « Sire, venez voir ce qui échappe à votre attention. Venez voir la reine, et vous constaterez les choses étonnantes que j'ai moi-même découvertes. Mais avant de vous y rendre, je vous prie de ne pas me priver de la justice à quoi j'ai droit.

Vous savez bien les risques personnels que j'ai pris pour la reine, ce qui m'a valu de vous avoir pour ennemi, car vous la faites garder contre moi. Ce matin je suis allé la regarder dans son lit, et j'en ai vu assez car j'ai bien remarqué qu'elle avait couché avec Keu toute la nuit. Sire, pour Dieu, ne soyez pas fâché si j'en suis offensé et si je porte plainte, car je prends pour un grave affront qu'elle me haïsse et méprise tandis que chaque nuit le sénéchal couche avec elle. — Tais-toi ! dit le roi, je ne te crois pas. — Sire, alors venez voir les draps, et la façon dont Keu les a arrangés ! Puisque vous ne croyez pas mes paroles et que vous pensez que je vous mens, je vous montrerai les draps et la courtepointe pleins du sang des blessures de Keu. — Eh bien, allons-y ! et je me rendrai compte, car je veux le voir de mes propres yeux ; ce sont eux qui m'apprendront la vérité. » Alors le roi se rendit aussitôt à la chambre où il trouva la reine en train de se lever. Il voit les draps sanglants dans son lit et de même dans le lit de Keu et dit : « Madame, voilà qui est mauvais pour vous si ce que m'a dit mon fils est vrai. — Que Dieu m'assiste, répondit-elle, on n'a jamais, même après un cauchemar, raconté un si méchant mensonge. Je pense que le sénéchal Keu est un homme si courtois et si loyal qu'il est au-dessus de tout soupçon ; et de mon côté je ne cours pas les foires pour vendre ou offrir mon corps. Assurément, Keu n'est pas homme à me demander une telle infamie, et je n'ai jamais eu le cœur de le faire, ni ne l'aurai jamais. — Sire, je vous serai très reconnaissant, dit Méléagant à son père, si l'on fait payer à Keu son crime de telle façon que la honte en rejaillisse sur la reine. C'est à vous que revient l'exercice de la justice, je la réclame et je vous en prie. Le sénéchal Keu a trahi son seigneur, le roi Arthur, qui avait une telle foi en lui qu'il lui avait confié la chose qu'il aime le plus en ce monde. — Sire, souffrez donc que je réponde, dit alors Keu, et je me justifierai. Que jamais Dieu, quand je quitterai ce monde, ne pardonne à mon âme si j'ai jamais couché avec ma dame la reine. Certes, je préférerais être mort que d'avoir cherché à commettre une action si vile et si criminelle ; et que jamais Dieu ne m'accorde de guérir mes blessures, mais qu'il me prenne la vie à cet instant même, si j'en ai eu seulement la pensée. Tout ce que je sais c'est que mes plaies ont saigné abondamment cette nuit, et que mes draps en sont tout ensanglantés. C'est la raison pour laquelle votre fils me soupçonne, mais il n'en a pas le droit. » Alors Méléagant lui répond : « Que Dieu m'assiste, vous avez été trahi par les diables, les esprits malins ; vous vous êtes trop échauffé cette nuit, et parce que vous vous êtes donné trop d'exercice vous avez fait se rouvrir vos blessures. Aucune de vos excuses ne tient debout : le sang des deux côtés est une preuve formelle ; nous constatons, et tout est clair. Il est juste que paie son forfait un suspect dont la culpabilité est ainsi établie. Jamais un chevalier de votre qualité n'a ainsi déchu de sa gloire ; vous en récoltez la honte. — Sire, sire, dit Keu s'adressant au roi, je défendrai ma reine et moi-même de cette accusation. Il me tourmente et me torture, mais il a tort d'agir ainsi. — Vous n'êtes pas en état de vous battre, fait le roi, blessé comme vous l'êtes. — Sire, si vous voulez bien le permettre, tout malade que je suis je me battrai avec lui, et je montrerai que je ne suis pas coupable du crime dont il m'accuse. » Cependant la reine avait fait secrètement appeler Lancelot. Alors elle fit savoir au roi qu'elle aurait un chevalier qui défendrait le sénéchal de cette accusation contre Méléagant, si celui-ci osait aller plus loin. Et Méléagant répliqua aussitôt : « Contre tout chevalier, sans aucune exception, serait-il un géant, j'engagerai un combat à outrance jusqu'à complète victoire de l'un des deux. » À ce moment entra Lancelot ; il y eut une telle affluence de chevaliers que la salle en fut toute remplie. Dès qu'il fut là, en présence de tout le monde, jeunes et vieux, la reine exposa toute l'affaire, ajoutant : « Lancelot, Méléagant m'a infligé cette honte. Il m'a fait soupçonner par tous ceux qui entendent cette accusation, si vous ne l'obligez pas à se rétracter. Cette nuit, prétend-il, Keu a couché avec moi, puisqu'il a vu mes draps et les siens tachés de sang, et il ajoute que le sénéchal sera tenu pour entièrement coupable s'il ne peut se défendre par les armes contre lui de cette accusation, ou si personne ne veut assumer sa défense pour lui venir en aide. — Vous n'avez pas besoin de plaider votre cause du moment que je suis là. À Dieu ne plaise qu'on vous soupçonne, vous et lui, de cette affaire. Je suis prêt à soutenir les armes à la main qu'il n'a jamais eu une telle pensée. S'il y a en moi quelque ressource, je le défendrai de toutes mes forces, et pour lui j'affronterai le combat. » Alors, bondissant en avant, Méléagant dit : « Que le Seigneur Dieu sauve mon âme, j'en suis d'accord, et cela me convient tout à fait ; que personne n'aille penser que cela me gêne ! » Lancelot déclare alors : « Sire roi, d'après ce que je sais des causes, lois, procès et jugements, on ne peut sans serments décider par bataille sur d'aussi graves soupçons. » Et Méléagant lui répond sans crainte immédiatement : « Que les serments se fassent dans les formes et qu'on apporte les reliques à l'instant, car je sais bien que j'ai le droit pour moi. » Et Lancelot répliqua : « Il faut, j'en appelle à Dieu, ne pas connaître le sénéchal Keu pour le soupçonner de pareille chose. » Aussitôt ils demandent leurs chevaux et ordonnent qu'on leur apporte leurs armes, et on les leur apporte aussitôt : les voilà bientôt armés avec l'aide des valets. C'est au tour des reliques d'être mises en place. Méléagant s'avance, et Lancelot de même à côté de lui. Ils s'agenouillent tous les deux. Méléagant étend la main sur les reliques et jure d'une voix claire : « Que Dieu et le saint dont voici les reliques m'en soient témoins, le sénéchal Keu a partagé cette nuit le lit de la reine, et il a eu d'elle tout son plaisir. — Et moi je t'accuse de parjure, fait Lancelot, et je jure à mon tour qu'il n'y a pas couché et ne l'a pas approchée. Et que Dieu prenne vengeance, s'il lui plaît, de celui qui a menti, et fasse apparaître la vérité[1]. Mais j'ajouterai encore autre chose aux serments et je jurerai, quelque ennui et peine que cela puisse faire à certains, que si j'ai la chance aujourd'hui de vaincre Méléagant, sans autre aide que celle de Dieu et des reliques ici présentes, je ne lui accorderai plus aucune grâce. » Le roi ne fut pas heureux d'entendre ce serment.

Quand ils eurent prêté serment on leur sortit les chevaux, belles bêtes pourvues de toutes les qualités. Chacun est monté sur le sien, et ils s'élancent l'un contre l'autre de toute la vitesse de leur monture. Le choc des deux chevaliers a lieu au maximum de la vitesse, et bien qu'il ne leur reste plus de la lance que le tronçon qu'ils avaient en main, ils se sont envoyés à terre tous les deux, mais ils n'ont pas vraiment l'air de deux morts, car aussitôt ils se relèvent et se font tout le mal possible du tranchant de leurs épées nues. Les étincelles jaillissent des heaumes vers les nues, toutes brûlantes. Ils s'affrontent avec une telle fureur, leurs épées nues à la main, qu'aussi vite qu'elles peuvent aller et venir ils se cognent, ils se frappent sans chercher à se reposer pour avoir le temps de reprendre haleine. Le roi, que ce combat angoisse et accable, a fait appeler la reine qui était montée s'accouder dans une des galeries de la tour. Il invoque Dieu le Créateur en lui demandant de faire se séparer les combattants. « Tout ce qui vous plaît et convient, dit la reine en toute bonne foi, ne rencontrera de ma part aucune opposition. » Lancelot a bien entendu la réponse de la reine à la demande du roi ; il ne cherche plus à combattre, mais il abandonne aussitôt le combat tandis que Méléagant le frappe en redoublant ses coups, car il ne veut pas de répit. Mais le roi se jette entre les deux combattants et retient son fils qui proteste en disant qu'il n'est pas question pour lui de faire la paix : « Je veux la bataille, je n'ai cure de la paix. » Alors le roi lui réplique : « Tais-toi donc et crois-moi, tu agiras sagement. Tu éviteras honte et dommages si tu m'écoutes, mais fais ce que tu dois faire. Ne te souviens-tu donc pas que tu as à livrer une bataille, qui a été prévue à la cour du roi Arthur ? Ne doute point que ce serait pour toi un grand honneur si tu réussissais là plutôt qu'ailleurs ! » Le roi disait cela pour essayer de l'ébranler. Finalement il réussit à l'apaiser et à séparer les combattants. Lancelot, qui était pressé de retrouver monseigneur Gauvain, vint en demander la permission et le congé au roi et puis à la reine. Avec leur autorisation il s'achemina rapidement vers le Pont sous l'Eau. Il avait derrière lui une troupe importante de chevaliers qui le suivaient mais, parmi ceux qui y allaient, il y en avait beaucoup qu'il eût préféré voir rester. Après de longues étapes ils approchaient du Pont sous l'Eau, dont ils étaient encore à une lieue de distance. Ils n'eurent pas le temps de s'en approcher plus ni de le voir qu'un nain vint à leur rencontre sur un grand cheval de chasse, avec à la main un fouet pour le faire avancer en le menaçant. Aussitôt il demanda, selon des instructions qu'on lui avait données : « Lequel d'entre vous est Lancelot ? Ne me le cachez pas, je suis des vôtres ; dites-le-moi sans crainte, car je vous pose cette question dans votre intérêt. » Lancelot répondit en personne : « Je suis celui que tu cherches et réclames. — Ah ! Lancelot, noble chevalier, laisse ces gens et fais-moi confiance ; viens tout seul avec moi, car je veux te conduire en un endroit qui fera ton bonheur. Que personne ne te suive à aucun prix, mais qu'on t'attende à cet endroit où nous reviendrons tout de suite ! » Et lui, qui ne se méfiait pas, a fait attendre toute son escorte et a suivi le nain qui l'a trahi ; ses gens qui l'attendent là peuvent l'attendre longtemps car ceux qui l'ont attrapé et fait prisonnier n'ont nulle intention de le rendre. Les gens de son escorte se désespèrent en ne le voyant pas revenir au lieu de rendez-vous et ne savent pas quoi faire. Tous disent que le nain les a trahis et s'ils en furent accablés, inutile de le demander. Tristement, ils commencent à le chercher, mais ils ne savent pas où ils pourraient le trouver, ni de quel côté ils devraient orienter leurs recherches ; alors ils en délibèrent tous ensemble. L'avis des plus raisonnables et des plus sages, il me semble, est qu'il convient de se rendre au passage du Pont sous l'Eau, qui est tout proche, et de ne se mettre en quête de Lancelot qu'ensuite, en profitant des conseils de monseigneur Gauvain s'ils le trouvent à un endroit ou à un autre. Tous se rallient à cette suggestion, si bien que sans s'écarter ils se dirigent vers le Pont sous l'Eau. À peine arrivés au pont, ils ont aperçu monseigneur Gauvain qui avait perdu l'équilibre et s'était enfoncé dans l'eau, profonde à cet endroit. Tantôt il refait surface, tantôt il coule au fond, tantôt ils le voient, tantôt ils le perdent de vue. Ils s'approchent de cet endroit, agrippent Gauvain avec des branches, des perches et des crocs. Il lui restait sur le dos le haubert, son heaume qui en valait bien dix autres, encore fixé sur la tête, et, encore enfilées sur ses jambes, des chausses de fer toutes rouillées de sueur, car il avait enduré bien des épreuves, traversé bien des périls et subi bien des attaques dont il avait triomphé. Sa lance, son écu et son cheval étaient restés sur l'autre rive. Ils ne pensent pas que celui qu'ils ont retiré de l'eau puisse être encore vivant, car il avait absorbé beaucoup d'eau, et tant qu'il ne l'eut pas rendue ils n'en purent obtenir un mot. Mais quand sa parole et sa voix retrouvèrent libre la sortie des poumons, et qu'on put l'entendre et le comprendre, au plus tôt qu'il put prendre la parole, il la prit. Il commença par demander à ceux qui étaient devant lui s'ils avaient quelque nouvelle de la reine. Dans leur réponse ils lui dirent qu'elle ne quitte pas un seul instant le roi Bademagu, qui lui fournit tout ce dont elle a besoin et lui témoigne beaucoup d'égards. « Est-ce que personne, depuis, n'est venu la chercher sur cette terre ? demande monseigneur Gauvain. — Si, répondent-ils, Lancelot du Lac, qui a passé le Pont de l'Épée. Il l'a secourue et libérée, et nous tous avec elle. Mais un nabot nous a trahis, un nain bossu et grotesque : il nous a honteusement trompés en nous enlevant Lancelot. Nous ne savons ce qu'il en a fait. — Et quand cela est-il arrivé ? demande monseigneur Gauvain. — Seigneur, c'est aujourd'hui que le nain nous a fait cela, tout près d'ici, quand Lancelot est venu avec nous à votre rencontre. — Et comment s'est-il conduit depuis son arrivée en ce pays ? » Alors ils commencent à l'informer ; ils lui racontent tout de bout en bout sans oublier un seul détail ; ils lui disent aussi que la reine l'attend, ayant assuré que rien ne la ferait partir du pays avant de le voir, même si on lui en apporte des nouvelles. Monseigneur Gauvain leur demande : « Quand nous allons quitter ce pont, irons-nous en quête de Lancelot ? » De l'avis unanime il vaut mieux d'abord aller trouver la reine ; le roi le fera rechercher ; car ils pensent que c'est son fils qui, traîtreusement, l'a fait mettre en prison : c'est Méléagant, qui déteste Lancelot. Mais où qu'il soit, si le roi l'apprend, il le fera remettre en liberté. Ils peuvent en être sûrs. Tous se rallièrent à cet avis et ils se mirent aussitôt en route, si bien qu'ils approchèrent de la cour où se trouvaient la reine et le roi Bademagu ainsi que le sénéchal Keu ; il y avait aussi le traître, débordant de ruses mauvaises, qui troubla les arrivants inquiets pour Lancelot. Ils s'estiment victimes d'une trahison et d'un attentat et ils manifestent bruyamment leur accablante douleur. Ce n'est pas une bonne nouvelle que reçoit ainsi la reine avec ce deuil. Cependant elle montre en la circonstance autant d'enjouement qu'il est possible. Il lui faut, en l'honneur de monseigneur Gauvain, manifester quelque joie, et c'est ce qu'elle fait. Mais elle a beau cacher sa douleur, celle-ci transparaît néanmoins. Elle doit se livrer en même temps à la joie et à la tristesse. Elle a le cœur serré en pensant à Lancelot, mais devant monseigneur Gauvain elle manifeste une joie extrême. Il n'y a personne qui, ayant appris la nouvelle de la disparition de Lancelot, n'en soit triste et désolé. Le roi serait réjoui de voir monseigneur Gauvain, sa venue qui lui donnait l'occasion de faire sa connaissance lui aurait plu beaucoup ; mais il est tellement affligé et accablé de savoir que Lancelot a été trahi qu'il en reste abattu et désemparé. La reine lui demande avec insistance de le faire rechercher par monts et par vaux sur son territoire, sans délai ni retard ; monseigneur Gauvain et Keu font de même ; il n'est personne qui ne soit venu l'en prier instamment. « Laissez-moi m'occuper de cette affaire, dit le roi, inutile d'en parler davantage, car j'ai pris mes dispositions depuis longtemps ; je n'ai besoin ni de prière ni de pétition pour faire cette enquête. » Chacun s'incline respectueusement. Le roi aussitôt envoie par tout son royaume ses messagers, des hommes d'armes de bonne réputation et avisés ; dans tout le pays ils ont demandé de ses nouvelles. Partout ils ont mené leur enquête sans recueillir d'information crédible. N'ayant rien trouvé, ils regagnent l'endroit où séjournent les chevaliers, Gauvain, Keu et tous les autres. Ceux-là disent qu'ils partiront, la lance en bataille, tout armés, pour le chercher ; ils n'en chargeront personne d'autre. Un jour, après manger, ils se trouvaient tous occupés à s'armer, car le moment était venu de faire son devoir, il n'y avait plus qu'à se mettre en route, quand un jeune homme entra dans la salle, et traversa leur groupe pour venir devant la reine, dont le visage n'avait plus son teint de rose ; son angoisse pour Lancelot, dont elle n'avait pas de nouvelles, était telle qu'elle avait perdu toutes ses couleurs. Le jeune homme l'a saluée, ainsi que le roi qui se trouvait à côté d'elle, et puis tous les autres à leur tour, notamment Keu et monseigneur Gauvain. Il tenait une lettre à la main ; il la tendit au roi qui la prit. Le roi la fit lire à haute voix par un clerc tout à fait compétent[1]. Ce lecteur sut bien leur dire ce qu'il vit écrit sur le parchemin : que Lancelot salue le roi, son bon seigneur, le remerciant de l'honneur qu'il lui a fait et des services qu'il lui a rendus, se disant tout entier à son commandement. Il faut qu'on sache sans l'ombre d'un doute qu'il est avec le roi Arthur, en bonne santé et plein de vigueur, lequel mande à la reine qu'elle revienne, si elle veut bien, ainsi que monseigneur Gauvain et Keu. Et la lettre portait des marques d'authenticité auxquelles ils devaient accorder crédit, ce qu'ils firent. Ils en furent heureux et s'en réjouirent ; toute la cour retentit de cette réjouissance ; ils ont l'intention, disent-ils, de s'en aller le lendemain, au lever du jour. Et, quand arriva l'aube, ils se préparèrent et s'équipèrent ; ils sont bientôt debout, ils montent à cheval et se mettent en route. Le roi les reconduisit en les escortant dans la joie et l'allégresse une bonne partie du chemin. Il les accompagna jusqu'à la sortie de son domaine, et quand ils en eurent franchi la limite il prit congé de la reine, puis de tous les autres, collectivement. La reine, fort poliment, au moment de prendre congé le remercia de tout ce qu'il avait fait pour elle ; lui mettant ses deux bras autour du cou elle lui offrit et promit ses bons offices et ceux de son mari ; elle ne pouvait pas lui promettre une plus grande récompense. Monseigneur Gauvain fit de même, il le traita comme son seigneur et ami, et Keu aussi, et tout le monde fit semblable promesse. Aussitôt ils reprirent la route tandis que le roi les recommandait à Dieu, saluant tout le monde après nos trois personnages. Et la reine n'arrêta son voyage aucun jour de toute la semaine, de même que la troupe qui l'accompagnait. Enfin arrive à la cour la nouvelle, qui réjouit beaucoup le roi Arthur, que la reine approche ; et comme on parle aussi de son neveu, il en éprouve une profonde joie et un grand bonheur parce qu'il pense que c'est grâce à sa prouesse que la reine est revenue, avec Keu et le reste du menu peuple. Mais il en va tout autrement qu'on ne pense. Pour les accueillir, tout le monde a quitté la ville et est allé à leur rencontre. Alors chacun dit à leur arrivée, chevalier ou vilain : « Bienvenue à monseigneur Gauvain qui a ramené la reine et nous a libéré mainte dame qui était captive et maint autre prisonnier. » Mais Gauvain leur a répondu : « Seigneurs, vous me félicitez à tort ; ne vous fatiguez plus à me faire ces compliments, car je n'y suis pour rien. Cet honneur me fait honte, car je ne suis arrivé là-bas ni à temps ni à l'heure ; mon retard m'a fait tout manquer. C'est

Lancelot qui est arrivé à temps ; c'est à lui qu'en revient tout l'honneur car jamais il n'y a eu chevalier d'aussi grande valeur. — Où est-il donc, mon beau seigneur, puisque nous ne le voyons pas ici avec nous ? — Comment où ? demande aussitôt Gauvain ; mais à la cour de mon seigneur le roi ! N'y est-il donc pas ? — Eh non, ma foi, ni même dans toute la région ; depuis qu'on a emmené Madame, nous n'en avons plus entendu parler. » Alors monseigneur Gauvain comprit pour la première fois que la lettre était fausse, et qu'ils avaient, par elle, été trahis et dupés. Oui, la lettre les avait bien trompés ! Les voilà qui retombent dans le chagrin. Ils arrivent à la cour dans la tristesse, et le roi aussitôt demande des nouvelles de toute l'affaire. On trouva facilement des gens pour lui raconter les exploits de Lancelot, la façon dont il avait repris la reine et tous les prisonniers, et la trahison qui avait permis au nain de le leur enlever et soustraire. Cette affaire déplaît au roi ; elle lui pèse et le dérange beaucoup, mais son cœur exulte de bonheur à cause du retour de la reine, à tel point que la joie chasse la tristesse ; puisqu'il a ce qu'il désire le plus, il se soucie peu du reste.

Durant l'exil de la reine, il y eut, je crois le savoir, une concertation des dames et des demoiselles privées de la protection d'un mari ; elles déclarèrent qu'elles voulaient rapidement se marier et décidèrent au cours de cette assemblée d'organiser les épreuves d'un tournoi. Au parti de la dame de Pomelegoi s'opposerait celui de la dame de Noauz[1]. De ceux qui auraient les pires résultats on ne parlerait pas, mais ceux qui obtiendraient de brillants succès seraient choisis pour être aimés. Elles feraient savoir et annoncer le tournoi dans tous les territoires voisins mais aussi dans les pays plus éloignés. En fait, elles fixèrent une date reculée pour attirer plus de gens. Or la reine arriva avant le terme qui avait été fixé. Dès qu'elles apprirent le retour de la reine, la plupart des demoiselles se mirent en route pour aller à la cour trouver le roi, et elles le pressèrent de leur accorder un don et de consentir d'avance à ce qu'elles voulaient. Il leur promit, avant de savoir ce dont il s'agissait, de faire ce qu'elles voudraient. Alors elles lui ont révélé qu'elles voulaient sa permission pour que la reine vienne assister au tournoi. Et lui, qui n'avait pas l'habitude de refuser, leur dit qu'il voulait bien si la reine elle-même le désirait. Tout heureuses de cette réponse, elles vinrent trouver la reine et lui dirent aussitôt : « Madame, ne nous reprenez pas ce que le roi nous a accordé. » Alors elle leur a demandé : « De quoi s'agit-il ? Ne me le cachez pas. » Alors elles répondirent : « Si vous voulez bien venir assister à notre tournoi, il n'a pas l'intention de vous en empêcher ; il ne s'opposera pas à votre décision. » La reine déclara qu'elle irait, puisque le roi lui en donnait l'autorisation. Aussitôt, par tout le royaume les demoiselles envoient des messagers qui font savoir leur projet d'amener la reine au jour annoncé pour le tournoi. La nouvelle s'en répand au loin comme aux environs, ici et là. Elle s'est propagée si loin qu'elle s'est répandue au royaume dont auparavant nul ne retournait ; mais désormais n'importe qui pouvait entrer et sortir, sans rencontrer d'opposition. Et à force de se répandre dans ce royaume, la nouvelle, portée par les paroles et les discours, arriva chez un sénéchal de Méléagant, ce tricheur, ce traître qui mérite de brûler en enfer. Cet homme avait la garde de Lancelot ; c'est chez lui que l'avait mis en prison son ennemi Méléagant, qui avait pour lui une haine terrible. Lancelot apprit la nouvelle du tournoi, avec l'heure et la date qui avaient été fixées ; dès lors les larmes ne cessèrent de mouiller ses yeux et son cœur ne connut plus de joie. Voyant Lancelot en proie à une profonde tristesse, la dame de la maison eut avec lui un entretien secret : « Seigneur, pour Dieu et le salut de votre âme, dites-moi la vérité, fait la dame ; pourquoi avez-vous ainsi changé ? Vous ne buvez ni ne mangez, je ne vous vois ni jouer ni rire ; vous pouvez en toute sûreté me confier la pensée qui vous tourmente. — Ah ! madame, si je suis triste, pour Dieu ne vous en étonnez point. C'est vrai que je suis tout désemparé de ne pouvoir me trouver là où se trouvera l'élite de la terre, au tournoi où se rassemble tout le monde, si je comprends bien. Et pourtant, si vous vouliez bien, et si Dieu avait mis en vous assez de noblesse d'âme pour que vous me laissiez y aller, vous pourriez avoir la certitude que je me conduirais assez loyalement pour revenir me constituer prisonnier chez vous. — Certes, je le ferais volontiers si je n'y voyais pour moi un danger mortel. C'est que je redoute si fort mon seigneur Méléagant, ce scélérat, que je n'oserais faire cela : il anéantirait mon mari. Il ne faut pas s'étonner si je le redoute, vous connaissez sa méchanceté. — Madame, si vous avez peur que je ne revienne aussitôt après les joutes me constituer prisonnier chez vous, je me lierai par un serment pour moi inviolable, en jurant que rien ne pourra m'empêcher de revenir chez vous me constituer prisonnier aussitôt après le tournoi. — Ma foi, fait-elle, je suis d'accord, à une condition. — Laquelle, madame ? — Seigneur, répond-elle, c'est que vous me jurerez de revenir, et en même temps vous me donnerez l'assurance que j'aurai votre amour. — Madame, tout l'amour dont je dispose, je vous le donne vraiment à mon retour. — Autant dire qu'il ne me reste rien, dit la dame tout en riant. Une autre, à ce que je crois, s'est déjà vu remettre et confier l'amour dont je vous ai prié. Pourtant, sans faire la difficile, je prendrai ce que j'en pourrai avoir. Je me contenterai de ce qui m'est accessible, et j'accepterai le serment par lequel vous vous engagerez envers moi à revenir chez moi comme prisonnier. »

Lancelot, suivant exactement ses instructions, lui jure sur la sainte Église de revenir sans faute. Et la dame aussitôt lui donne les armes et l'armure de son mari, de couleur vermeille, ainsi que son cheval d'une beauté, d'une force et d'une intrépidité merveilleuses. Il monte et le voilà parti tout resplendissant avec armes et armure fraîches et neuves. Et il chevaucha longtemps jusqu'à Noauz. C'est le camp qu'il choisit, et il se logea en dehors de la ville. Jamais un homme de cette qualité n'eut un logis si humble, car il était petit et bas ; mais Lancelot ne voulait pas se loger en un lieu où il fût connu. L'élite des chevaliers rassemblés dans le château était nombreuse ; mais il y en avait encore plus au-dehors, car il était venu tant de monde pour la reine qu'un cinquième d'entre eux ne put trouver un abri pour se loger ; et à sept contre un la majorité n'était venue que pour la reine. À cinq lieues à la ronde les barons s'étaient donc logés dans des tentes, des huttes, des pavillons[1].

Et il y avait aussi tant de belles dames et demoiselles que c'était une merveille. Lancelot avait mis son écu à la porte de son logis, à l'extérieur. Pour se délasser il avait quitté son armure et se reposait sur un lit qu'il n'appréciait guère, car il était étroit, avec un mince matelas couvert d'un gros drap de chanvre. Ainsi désarmé, il reposait, appuyé sur un côté. Tandis qu'il était ainsi couché dans de pauvres conditions, voilà qu'arrive un mauvais garçon, un héraut d'armes qui avait laissé en gage à la taverne sa cotte et ses chausses[1], et il arrivait à toute allure, nu-pieds et à demi vêtu malgré le vent. Il aperçut l'écu devant la porte, l'examina sans pouvoir l'identifier, non plus que son possesseur. Comme il trouva ouverte la porte de la maison, il entra, vit Lancelot couché sur le lit, le reconnut, et alors fit signe de croix. Lancelot lui fit comprendre l'interdiction de mentionner sa personne où qu'il allât, ajoutant que s'il faisait état de ce qu'il avait découvert il vaudrait mieux pour lui s'être arraché les yeux ou cassé le cou. « Seigneur, j'ai toujours eu pour vous beaucoup d'estime, fait le héraut, et je continue d'en avoir ; jamais de ma vie, à aucun prix je ne ferai quoi que ce soit qui puisse vous fâcher. » Aussitôt il sort de la maison et il s'en va criant bien haut : « Il est arrivé celui qui l'emportera ! Il est arrivé celui qui l'emportera ! » Le garçon criait cela partout, et les gens sortaient de tous les côtés, lui demandant ce qu'il annonçait par son cri. Il n'osa pas le dire, mais continua d'avancer en criant la même chose ; et sachez que c'est ainsi qu'on commença à dire : « Il est arrivé celui qui l'emportera ! » Le maître qui nous a enseigné ce cri est ce héraut d'armes, son inventeur.

Déjà les groupes se sont rassemblés, la reine et toutes les dames, les chevaliers et d'autres, car il y avait beaucoup d'hommes d'armes, à droite et à gauche. Sur les lieux du tournoi on avait installé de grandes tribunes en bois pour la reine, les dames et les jeunes filles. Jamais on n'avait vu d'aussi belles tribunes, si longues ni aussi bien construites. C'est là que, le lendemain, toutes les dames se sont rendues après la reine, pour assister à la rencontre et juger les bonnes et les mauvaises performances. Les chevaliers arrivent dix par dix, vingt par vingt, trente par trente, en voilà quatre-vingts, en voilà quatre-vingt-dix, là cent, là plus encore, là deux fois plus. Il y a tant de monde rassemblé devant les tribunes et autour que l'on commence la mêlée. Avec ou sans armure ils se disposent pour le combat ; il y a comme une forêt de lances, car ceux qui veulent s'en divertir en ont tant fait apporter qu'on ne voit plus que lances, bannières, gonfanons. Les jouteurs s'avancent pour jouter, et ils n'ont pas de mal à trouver des partenaires parmi ceux qui étaient venus pour les joutes. Et les autres aussi se préparaient à d'autres exploits chevaleresques. Il y a tant de monde sur les prairies, les terres labourées ou en friche que l'on ne pourrait estimer le nombre de chevaliers : il y en a trop. Cependant, pas trace de Lancelot pour cette première rencontre. Mais quand il arriva parmi les prés et que le héraut le vit venir, il ne put s'empêcher de crier : « Voyez celui qui va l'emporter ! Voyez celui qui va l'emporter ! » Et l'on demande : « Qui est-ce ? » Mais notre homme ne veut pas le leur dire. Quand Lancelot prend part à la mêlée, à lui seul il vaut vingt des meilleurs, car il commence à si bien jouter que personne ne peut détacher ses yeux de lui, où qu'il soit. Dans le camp de Pomelegoi, il y avait un chevalier preux et vaillant, sur un cheval qui pouvait sauter et courir mieux qu'un cerf des landes : c'était le fils du roi d'Irlande dont l'art de jouter était admirable d'efficacité et de beauté. Eh bien, on admirait quatre fois plus le chevalier qu'on ne connaissait pas. Tous s'inquiétaient de savoir : « Qui est ce parfait jouteur ? » Or la reine, prenant à part une jeune fille habile et intelligente, lui dit : « Mademoiselle, vous avez un message à transmettre ; faites-le vite, en termes brefs. Descendez de cette tribune ; allez trouver pour moi ce chevalier qui porte un écu vermeil, et dites-lui à part que je lui donne pour mot d'ordre : " Au pire "[1]. » La jeune fille s'acquitta rapidement et sagement de la mission confiée par la reine. Elle partit à la poursuite du chevalier et, s'étant approchée le plus possible de lui, elle lui dit habilement et intelligemment, sans être entendue des gens à proximité : « Seigneur, ma dame la reine me fait vous communiquer le mot d'ordre suivant : " Au pire " ! » À ces mots il répondit qu'il agirait ainsi très volontiers, en homme qui lui appartient tout entier. Alors il se précipita vers un chevalier de toute la vitesse de son cheval et manqua son coup ; dès lors et jusqu'au soir il n'obtint rien d'autre que les pires résultats, autant qu'il put pour plaire à la reine. Et l'autre qui vint le chercher ne le rata pas mais le frappa d'un grand coup, pesant de toutes ses forces, et Lancelot alors prit la fuite. Depuis lors, de la journée il ne tourna le col de son cheval vers un autre chevalier. À tout prix il évitait toute action qui ne lui eût pas valu beaucoup de honte, de blâme et de déshonneur, et il faisait mine d'avoir peur de tous ceux qui allaient et venaient. Maintenant les chevaliers lui réservaient risées et railleries, alors qu'auparavant ils n'avaient qu'admiration pour lui. Et le héraut qui répétait : « Voici celui qui s'imposera à tous en série ! » était très abattu et tout penaud, car il entendait les plaisanteries et les insultes de ceux qui lui disaient : « Maintenant tu peux te taire, l'ami, celui-là ne l'emportera pas. Il l'a si bien emporté qu'il a perdu tout le prestige que tu lui attribuais. » La plupart des gens font ce commentaire : « Qu'est-ce que cela signifie ? Il était si vaillant, tout à l'heure, et maintenant il est devenu une créature si craintive qu'il n'ose même pas attendre un chevalier. Peut-être n'a-t-il eu tout d'abord tant de succès que parce qu'il ne s'était jamais exercé au maniement d'armes, et alors il était si vigoureux à son arrivée qu'aucun chevalier ne pouvait lui résister, si expérimenté fût-il ; il frappait comme un fou furieux. Et puis il s'est si bien initié aux armes qu'il n'aura plus jamais, de toute son existence, envie d'en porter. Il manque de courage pour en supporter davantage. C'est le plus bel exemple de fausse monnaie[1] qui soit. » La reine est loin d'en être fâchée ; elle est au contraire très heureuse, tout cela lui plaît beaucoup, car elle sait bien — mais elle n'en dit rien — que c'est Lancelot à coup sûr. Ainsi, toute la journée, jusqu'au soir, il se fit passer pour un poltron. Mais le coucher du soleil mit fin à la rencontre. Au moment de se séparer il y eut une grande discussion entre ceux qui pensaient avoir eu les meilleurs résultats. Le fils du roi d'Irlande pense que, sans conteste possible, c'est à lui que reviennent toute la gloire et le premier prix ; mais il se trompe lourdement parce que beaucoup le valent. Le chevalier vermeil lui-même avait plu aux dames, aux jeunes filles, aux plus nobles et aux plus belles, si bien que toute la journée elles n'avaient eu d'yeux que pour lui ; car elles avaient bien vu comment il s'était d'abord comporté, et combien il savait être preux et hardi ; et puis il s'était montré si poltron qu'il n'osait attendre aucun chevalier, au point que le plus mauvais aurait pu l'abattre et le faire prisonnier s'il avait voulu. Mais toutes et tous furent d'accord pour revenir le lendemain au tournoi, pour permettre aux demoiselles de choisir pour maris ceux qui se seraient distingués ce jour-là. Cela dit, et toutes dispositions prises en conséquence, chacun regagna le logement assigné, et là, du moins en plusieurs endroits, il se trouva des gens pour commencer à médire : « Où est le plus mauvais des chevaliers, le moins que rien, le méprisable ? Où est-il allé ? Où s'est-il caché ? Où le trouver ? Où le chercher ? Peut-être que nous ne le reverrons plus ; c'est qu'il a été séduit par Lâcheté dont il a été comblé au point qu'il n'y a plus au monde de créature plus lâche. Non sans raison ; car un lâche a cent mille fois plus de confort qu'un preux, qu'un guerrier. Lâcheté vit très à l'aise, et c'est pourquoi il a scellé l'affaire avec elle d'un baiser en se faisant remettre par elle tout ce dont il dispose maintenant. Prouesse, elle, ne s'est pas abaissée jusqu'à s'installer chez lui ni à s'asseoir à côté de lui. C'est Lâcheté qui s'est réfugiée chez lui tout entière ; elle a trouvé en lui un hôte si amoureux, si serviable que pour mieux l'honorer il se déshonore. » Telles sont les railleries par lesquelles les médisants font de lui, toute la nuit, des gorges chaudes. Mais souvent tel dit du mal d'autrui qui vaut pis que celui qu'il blâme et qu'il méprise. Quoi qu'il en soit, chacun dit ce qu'il lui plaît. Mais le jour suivant tout le monde était prêt et l'on revint au tournoi. La reine était remontée dans les tribunes avec les dames et les jeunes filles ; avec elles se trouvaient un bon nombre de chevaliers qui ne prirent pas les armes parce qu'ils étaient prisonniers ou croisés[1] ; alors ils leur expliquaient les armoiries de ceux qu'ils estimaient le plus. Ils commentaient : « Voyez-vous, là, ce chevalier avec un écu bandé d'or sur fond rouge ? C'est Governal de Roberdic. Et voyez-vous, derrière lui, celui qui a mis sur son écu un aigle et un dragon affrontés ? C'est le fils du roi d'Aragon, qui est venu en ce pays conquérir honneur et prix. Et à côté de lui, celui qui pointe et joute si bien avec un écu mi-parti de vert et d'azur, portant un léopard sur le vert ? C'est Ignauré le Désiré, l'amoureux et séducteur. Et celui qui porte sur son écu deux faisans bec à bec ? C'est Coguillant de Mautirec. Et voyez-vous côte à côte ces deux chevaliers sur des chevaux pommelés, dont les blasons sont d'un lion noir sur fond doré ? L'un s'appelle Sémiramis et l'autre est son compagnon : ils ont peint le même blason sur leur écu. Et voyez-vous celui qui porte un écu où est peinte une porte ? On dirait qu'il en sort un cerf. Eh bien, c'est le roi Yder. » Telles sont les remarques faites dans les loges. « Cet écu a été fait à Limoges ; c'est Piladès qui l'a apporté ; il veut toujours se lancer dans la bataille : c'est son plus ardent désir. Cet autre écu a été fait à Toulouse, ainsi que les harnais et le poitrail ; c'est Keu d'Estraux qui l'a apporté. Celui-là vient de Lyon sur le Rhône ; il n'y en a pas de meilleur sous le ciel ;

il a été donné en récompense d'un très grand service à Taulas de La Déserte qui le porte avec habileté et sait bien s'en couvrir. Et cet autre est une œuvre d'Angleterre ; il a été fait à Londres ; vous y voyez ces deux hirondelles qui semblent prêtes à s'envoler ; il n'en est rien, mais elles reçoivent bien des coups des armes en acier poitevin ; c'est Thoas le Jeune qui le porte[1]. » Voilà comment les experts expliquent avec précision les armes des chevaliers qu'ils connaissent. Mais on ne voit pas trace de celui à qui l'on avait marqué tant de mépris, et l'on pense qu'il s'est dérobé puisqu'il ne participe pas à la rencontre. Ne le voyant pas, la reine eut envie d'envoyer chercher dans les rangs jusqu'à ce qu'on le trouve. Elle ne voit pas pour cette mission de personne plus qualifiée que celle qui, la veille, alla déjà le chercher de sa part. Aussitôt elle l'appelle auprès d'elle et lui dit : « Allez donc, mademoiselle, prendre votre palefroi ! Je vous envoie au chevalier d'hier, et cherchez-le jusqu'à ce que vous l'ayez trouvé. Ne perdez pas de temps et dites-lui simplement qu'il doit encore jouter " au pire ". Et quand vous lui aurez communiqué cet ordre, faites bien attention à sa réponse ! » Elle ne perdit pas de temps, car elle avait bien remarqué la veille au soir la direction qu'il prenait, ne doutant pas qu'on la renverrait le trouver. Elle parcourut donc les rangs et finit par trouver notre chevalier. Aussitôt elle alla discrètement lui dire de se battre « au pire » s'il voulait garder l'amour et les bonnes grâces de la reine, car c'était son mot d'ordre. Et lui, puisqu'elle l'ordonnait, répondit : « C'est très bien ainsi ! » Elle repartit aussitôt. Alors recommencent les huées des valets, sergents et écuyers qui disent en chœur : « Voyez-moi cette merveille, celle du chevalier aux armes vermeilles ! Le voilà revenu ! Mais que fait-il là ? Il n'y a pas au monde de créature aussi vile, aussi méprisable ni tombée aussi bas. Lâcheté a tellement d'emprise sur lui qu'il ne peut rien faire contre elle. » La demoiselle est revenue trouver la reine qui l'a pressée et harcelée jusqu'à ce qu'elle ait eu confirmation de la réponse ; elle en éprouva une grande joie, car elle savait désormais en toute certitude que c'était celui à qui elle appartenait tout entière, comme il lui appartenait sans l'ombre d'un doute. Elle demanda à la jeune fille de repartir bien vite d'où elle venait pour lui dire qu'elle lui donne l'ordre, maintenant, qu'elle le prie, de faire au mieux qu'il pourrait. Celle-ci lui répondit qu'elle irait aussitôt, sans demander aucun répit. Elle est descendue de la tribune jusqu'en bas, à l'emplacement où l'attendait le garçon d'écurie qui lui gardait son palefroi. Elle se met en selle et va trouver le chevalier auquel elle dit aussitôt : « Maintenant ma dame vous demande, seigneur, de faire au mieux que vous pourrez. — Vous lui direz qu'il n'est rien qui me semble pénible à faire du moment que cela lui convient ; car tout ce qui lui plaît contente mon désir. » Alors elle ne mit pas longtemps à rapporter son message, pensant bien ravir et réjouir la reine. Elle prit le plus court chemin pour regagner les tribunes ; la reine s'est levée pour aller à sa rencontre, sans pourtant descendre, car elle l'attendit en haut des marches. La jeune fille arriva, et elle sut bien la contenter en lui transmettant son message ; elle commença à gravir les marches et, une fois arrivée près de la reine, elle lui dit : « Madame, je n'ai jamais vu un chevalier d'aussi bonne disposition, car il veut sans réserve obéir à tous vos ordres, au point que, si vous voulez savoir la vérité, il réserve le même accueil au bon et au mauvais sort. — Ma foi, dit-elle, il se pourrait bien. » Et elle retourne s'installer à la place d'où elle peut regarder les chevaliers. Alors Lancelot sans plus tarder saisit son écu par les courroies, brûlant d'impatience de montrer toute sa prouesse. Il redresse la tête de son cheval et le fait courir entre deux rangées de chevaliers. Bientôt il va étonner ceux qui se sont laissé abuser et tromper, et qui ont passé une grande partie du jour et de la nuit à se moquer de lui. Comme ils se sont bien amusés, divertis et moqués ! Ayant passé son bras dans les courroies de son écu, le fils du roi d'Irlande prend son élan à grand fracas et fonce dans sa direction. Le choc des deux chevaliers est tel que le fils du roi d'Irlande n'est pas prêt d'en redemander : il a brisé et mis en miettes sa lance, car il n'a pas frappé sur de la mousse mais sur du bois sec et dur. Et Lancelot lui apprend à l'occasion de cette joute un tour de sa façon en lui coinçant le bras derrière l'écu et en le poussant de ce côté pour le faire tomber de cheval. Aussitôt, dans les deux camps, les chevaliers passent à l'action à force d'éperons, les uns pour venir au secours du fils du roi d'Irlande, les autres pour le bloquer. Les premiers pensent venir en aide à leur seigneur, mais ils sont désarçonnés au cours de la mêlée. De toute la journée Gauvain s'abstint d'intervenir dans la mêlée aux côtés de l'autre camp, car il prenait tant de plaisir à regarder les prouesses du chevalier aux armes vermeilles qu'à ses yeux elles éclipsaient les prouesses réalisées par les autres ; par comparaison celles-ci perdaient toute valeur. Alors le héraut reprit de l'assurance et se mit à crier pour être entendu de tous : « Le voilà venu celui qui l'emportera ! Aujourd'hui vous allez voir ce qu'il va faire ; aujourd'hui va se révéler sa prouesse ! » Alors le chevalier redresse la tête de son cheval et il pique des deux en direction d'un chevalier très élégant qu'il frappe avec une telle force qu'il le fait bouler de son cheval à plus de cent pieds de là. Il commence à se servir si bien de son épée et de sa lance que personne dans l'assistance n'échappe au ravissement du spectacle. Même les combattants y prennent plaisir et s'en réjouissent ; car il est très plaisant de voir la manière dont il fait trébucher pêle-mêle chevaux et chevaliers. Il est rare qu'un chevalier qu'il aborde puisse rester sur sa selle ; il distribue les chevaux ainsi gagnés à tous ceux qui en veulent. Alors ceux qui récemment se moquaient de lui disent maintenant : « Nous sommes perdus et déshonorés. Nous avons eu grand tort de le mépriser et de le dénigrer. Assurément, il vaut bien au moins un millier de ceux qui se trouvent sur ce champ de bataille ; il a vaincu et dépassé tous les chevaliers du monde : pas un seul ne fait le poids en face de lui. » Et les demoiselles dont les yeux sont pleins d'admiration pour lui disaient qu'elles étaient par sa faute condamnées au célibat, car elles n'osaient plus compter sur leur beauté ni sur leur richesse, ni sur leur pouvoir ni sur leur noblesse pour que ce chevalier daigne prendre l'une d'entre elles ; leur beauté et leur dot ne sont pas à la mesure de son mérite. Et pourtant la plupart font en secret le vœu que, si elles ne se marient pas avec lui, elles ne se marieront pas cette année et refuseront d'accepter tout autre homme comme maître et seigneur. Or la reine, en entendant ces prétentions, retient un sourire et un commentaire moqueur. Elle sait bien que même si on étalait devant lui tout l'or d'Arabie, la meilleure d'entre elles, la plus belle et la plus élégante ne réussirait pas à se faire élire par celui qui éveille chez toutes la même envie. Comme elles ont toutes le même désir, chacune voudrait que cet homme soit à elle ; et chacune est jalouse des autres comme si elle était déjà son épouse. C'est qu'elles le voient si adroit qu'elles ne peuvent s'imaginer ni croire, tant elles sont éprises, qu'un autre chevalier puisse en faire autant. Il fit tant et si bien que, au moment de se séparer, dans les deux camps on convint que vraiment il n'y avait personne de comparable à celui qui portait l'écu vermeil. Tous dirent la même chose, et c'était la vérité. Mais, en s'en allant, il laissa tomber son écu dans la foule, là où elle était apparemment la plus dense, ainsi que sa lance et sa couverture[1] ; puis il partit à toute allure. Il partit donc à la dérobée, de sorte qu'aucune des personnes de cette assemblée encore présentes ne s'en rendit compte. Et, s'étant mis en route, il retourna le plus rapidement et le plus directement possible à son point de départ pour s'acquitter de sa promesse. À l'issue du tournoi, tout le monde le chercha et demanda de ses nouvelles ; mais on n'en trouva aucune trace car il s'était enfui, ne tenant pas à ce qu'on le reconnaisse. Les chevaliers en furent très chagrinés et très contrariés, car ils lui auraient fait fête s'il avait été accessible. Mais si les chevaliers regrettèrent qu'il les eût ainsi abandonnés, les demoiselles, en l'apprenant, en furent encore bien plus accablées ; elles déclarèrent que, par saint Jean, elles ne se marieraient pas de l'année ; puisqu'elles n'avaient pas celui qu'elles voulaient, elles en tenaient tous les autres pour dispensés. Ainsi se termina le tournoi sans qu'aucune n'eût pris de mari. Lancelot, sans traîner en route, retourna vite dans sa prison. Or le sénéchal rentra deux ou trois jours avant Lancelot, et il demanda où il était. Et la dame qui lui avait remis les armes vermeilles, bien soigneusement préparées, ainsi que son cheval tout harnaché, avoua la vérité au sénéchal, disant comment elle l'avait envoyé sur les lieux de la rencontre, au tournoi de Noauz. « Vous ne pouviez pas faire pire, vraiment, madame, lui dit le sénéchal ; cela me vaudra, je pense, de graves difficultés, car monseigneur Méléagant me traitera plus mal que le droit de la mer traite les épaves[1]. Je serai détruit et mort dès qu'il l'apprendra, car il n'aura nullement pitié de moi. — Mon beau seigneur, ne vous tourmentez pas, dit la dame, n'ayez pas une crainte aussi mal fondée ; rien ne peut le dispenser de venir, car il m'a juré sur des reliques qu'il reviendrait le plus vite possible. » Le sénéchal se dépêcha de monter à cheval pour aller raconter à son seigneur tout ce qui était arrivé ; mais il le rassura tout à fait en lui disant que sa femme avait bien pris soin de lui faire jurer qu'il reviendrait dans sa prison. « Il n'y manquera pas, je le sais bien, dit Méléagant, et pourtant je suis très ennuyé de ce qu'a fait votre femme ; j'aurais à tout prix voulu éviter qu'il participât au tournoi. Mais reprenez le chemin du retour et veillez, quand il sera rentré, qu'il soit enfermé dans une prison telle qu'il n'en puisse sortir et qu'il n'ait aucune liberté de mouvement. Et rendez-moi compte aussitôt. — Il sera fait comme vous l'ordonnez », dit le sénéchal. Et il s'en alla ; il trouva Lancelot déjà de retour et ayant regagné sa prison chez lui. Un messager est vite renvoyé par le sénéchal à Méléagant, par le chemin le plus court, pour lui faire savoir que Lancelot est revenu. À cette nouvelle, il réquisitionna maçons et charpentiers du pays pour réaliser, de gré ou de force, ses plans ; il avait choisi les meilleurs de tout le pays. Il leur a dit de construire une tour et de travailler avec acharnement jusqu'à ce qu'elle soit terminée. La pierre fut extraite au bord de la mer, car le pays de Gorre est longé de ce côté par un long et large bras de mer. Et au milieu de ce bras de mer il y a une île bien connue de Méléagant. C'est là que selon ses ordres on apporta la pierre et le bois pour construire la tour. En moins de cinquante-sept jours celle-ci fut terminée ; c'était une tour haute, aux murs épais, sur de solides fondations. Quand l'ouvrage fut achevé, il fit amener Lancelot nuitamment et le fit enfermer dans la tour. Puis il donna l'ordre de murer les portes et fit jurer à tous les maçons de ne jamais dire un mot de cette tour. Il voulut ainsi la garder secrète ; on n'y laissa ni porte ni ouverture sauf une petite fenêtre[1]. C'est donc là que dut séjourner Lancelot, et on lui servait à manger, maigrement et rarement, par ce petit guichet ménagé selon un plan préalablement établi, conformément aux instructions de ce chevalier félon, plein de perfidie. Voilà prises toutes les dispositions voulues par Méléagant. Après cela il se rendit à la cour du roi Arthur. Une fois arrivé là il se présenta devant le roi et, plein d'arrogance et de véhémence, il se mit à argumenter : « Roi, je me suis engagé à livrer une bataille devant toi, dans ta cour ; mais je ne vois pas trace de Lancelot, qui doit se battre avec moi. Néanmoins, j'offre le combat comme je le dois, prenant à témoin toute l'assistance ici réunie. Et s'il est présent, qu'il s'avance et soit en mesure de me tenir parole en cette cour dans le délai d'un an à partir d'aujourd'hui. Je ne sais si l'on vous a jamais dit les circonstances et les modalités de cette bataille ; mais je vois ici des chevaliers qui se trouvaient assister à la conclusion de nos arrangements, et ils sauraient bien vous renseigner s'ils consentaient à dire la vérité. Mais s'il veut me contester mon droit, je n'aurai pas recours à un mercenaire, au contraire je me ferai moi-même justice sur sa personne. » La reine qui était assise aux côtés du roi le tire vers elle et se met à lui dire : « Savez-vous qui c'est ? C'est Méléagant, qui m'a enlevée alors que le sénéchal Keu m'escortait ; il est responsable à son égard de beaucoup de honte et de souffrance. » Le roi lui a alors répondu : « Madame, je l'ai bien compris ; je sais très bien que c'est lui qui retenait mon peuple en exil. » La reine n'en dit pas plus. Le roi, répondant à Méléagant, lui dit : « Mon ami, j'en prends Dieu à témoin, nous n'avons aucune nouvelle de Lancelot, ce qui nous chagrine beaucoup. — Sire, reprit Méléagant, Lancelot m'avait dit que je le trouverais ici sans faute ; c'est en votre cour et non ailleurs que je dois réclamer cette bataille. Je veux que tous les barons ici présents soient témoins de cette sommation : dans un délai d'un an il doit satisfaire aux termes des accords conclus entre nous quand nous avons décidé de nous battre. »

À ces mots monseigneur Gauvain se lève, très fâché de ce qu'il vient d'entendre dire : « Sire, dit-il, il n'y a

pas trace de Lancelot en ce pays ; mais nous l'enverrons chercher, et s'il plaît à Dieu on le retrouvera avant la fin de l'année, s'il n'est pas mort ou emprisonné. Et s'il ne vient pas, alors accordez-moi la bataille, je la ferai pour Lancelot. Pour lui je prendrai les armes au jour fixé, s'il n'est pas arrivé avant.
— Eh ! Eh ! par Dieu, beau sire roi, accordez-le-lui, fait Méléagant : il veut la bataille, et moi je vous en prie, car je ne connais pas au monde de chevalier à qui je veuille autant me mesurer, exception faite de Lancelot. Mais sachez bien que si je ne peux me battre avec l'un de ces deux chevaliers, je n'accepterai personne pour les remplacer ou les suppléer : il me faut l'un des deux ! » Le roi donne son accord pour cet arrangement au cas où Lancelot ne se présenterait pas à temps. Alors Méléagant repartit et quitta la cour du roi. Il poursuivit sa route, sans s'arrêter, pour rejoindre son père le roi Bademagu. En sa présence, pour bien montrer sa prouesse et son importance, il fit un gros effort pour se donner un air et un visage étonnants. Ce jour-là, le roi tenait une cour très joyeuse en sa cité de Bade : c'était le jour de son anniversaire, et telle était la raison de cette grande assemblée plénière. Il avait amené avec lui toutes sortes de gens, en grand nombre. Le palais tout entier était envahi par des chevaliers et des demoiselles. Parmi elles, il s'en trouvait une dont je vais bientôt vous dire ce que j'en pense et le rôle que je lui réserve : c'était la sœur de Méléagant. Mais je ne veux pas m'en expliquer maintenant, car ce n'est pas dans l'ordre du récit à cet endroit, et je ne veux pas le défigurer, l'abîmer ni lui faire violence, mais lui faire suivre correctement son cours. Pour le

moment je vous dirai seulement qu'après son arrivée Méléagant s'adressa à son père, en présence de tout le monde, petits et grands, déclarant d'une voix forte : « Père, par Dieu, dites-moi, s'il vous plaît, s'il ne doit pas être très heureux et très valeureux celui dont les armes font trembler la cour du roi Arthur ? » Le père sans plus attendre répond à sa question : « Fils, toutes les personnes de valeur doivent honorer et servir quiconque le mérite, et cultiver sa compagnie. » Alors pour le flatter il le prie de ne plus taire les raisons de cette remarque, et de dire ce qu'il cherche, ce qu'il veut et d'où il vient. « Sire, reprit Méléagant, je ne sais si vous vous souvenez des dispositions et conventions qui furent établies et enregistrées pour l'accord conclu entre moi-même et Lancelot ; vous vous rappelez bien, je suppose, qu'on nous demanda, devant témoins, de nous trouver tous les deux dans le délai d'un an à la cour du roi Arthur. Je m'y suis rendu au moment voulu, équipé et ayant pris toutes les dispositions à cet effet. J'ai respecté les formes. J'ai demandé et requis Lancelot avec qui j'avais affaire. Mais je n'ai pu le voir ni le rencontrer : il s'est enfui et esquivé. Alors j'ai obtenu avant de repartir la promesse de Gauvain que, si Lancelot n'est plus en vie ou s'il ne vient pas dans les délais prévus, le combat ne sera pas reporté, mais (il me l'a juré) que lui-même se battra avec moi. Arthur n'a pas de chevalier plus estimé que lui, c'est bien connu. Mais avant que ne fleurissent les sureaux[1] je verrai en combattant si la réalité est à la hauteur de sa réputation, et je voudrais que ce soit dans le moment qui vient. — Fils, répond son père, en ce moment tu passes ici pour un sot. À celui qui l'ignorerait jusqu'ici, tu révèles toi-même ta folie. En vérité un cœur noble choisit l'humilité, tandis qu'un homme d'une folle outrecuidance ne se débarrasse jamais de sa folie. Fils, c'est pour toi que je le dis, car ta nature est si dure et si sèche qu'il n'y a place en toi ni pour la douceur ni pour l'amitié. Ton cœur ignore trop la pitié ; tu es trop sous l'emprise de la folie furieuse. C'est ce qui me fait te mépriser, c'est ce qui fera ton malheur. Quant à savoir si tu es si vaillant, on trouvera bien quelqu'un pour en témoigner quand l'heure en sera venue. Il ne convient pas à un homme de bien de faire l'éloge de son courage pour rehausser ses actions ; les faits parlent d'eux-mêmes. L'éloge que tu fais de toi-même ne t'aide pas plus qu'une plume d'oiseau à rehausser ta gloire : au contraire, je t'en estime moins. Fils, je te fais la morale, mais à quoi bon ? Tout ce qu'on dit à un fou est peine perdue ; on se démène en vain quand on veut délivrer un fou de sa folie. On peut enseigner et exposer la sagesse, mais cela ne sert à rien si elle n'est pas mise en pratique, et si on la laisse se dissiper et se perdre aussitôt. » Pour le coup Méléagant perdit complètement la tête, comme hors de lui. Jamais aucun mortel, je puis bien vous l'affirmer, ne s'est montré en proie à une telle fureur. De rage il rompit tous les liens d'affection et, perdant tout respect, il répliqua à son père : « Vous rêvez ou vous délirez pour me dire que j'ai le cerveau dérangé alors que je ne fais que raconter ma vie ? Je croyais être venu à vous comme à mon seigneur, à mon père ; mais cela n'a pas l'air d'être le cas, car vous m'insultez plus grossièrement, je trouve, qu'il ne vous est permis. Vous ne sauriez me donner la raison de cette attitude que vous avez prise. — Si, je pourrais. — Et alors, quelle est-elle ? — C'est que je ne vois en toi que sottise et rage. Je connais fort bien ton cœur qui te causera encore un grand malheur. Au diable qui pourrait penser que Lancelot, le modèle de chevalerie loué par tout le monde, sauf par toi, se serait sauvé par peur de toi ! Mais peut-être est-il déjà mort et enterré, ou bien enfermé dans une prison dont la porte est si bien fermée qu'il ne peut sortir sans autorisation. Certes, je serais durement atteint s'il était mort ou maltraité. Oui, ce serait une trop grande perte si un être de cette envergure, si beau, si preux, si sage, était mort avant l'âge. Mais ce n'est pas vrai, s'il plaît à Dieu. » Alors Bademagu se tait ; mais tout ce qu'il a dit et raconté avait été entendu et écouté par une de ses filles, celle, sachez-le bien, dont j'ai déjà fait mention dans mon récit. Elle n'est pas heureuse des nouvelles que l'on raconte sur Lancelot. Elle comprenait bien qu'on le détenait dans une cachette, puisqu'on n'en avait pas la moindre trace. « Je renonce à Dieu, dit-elle, si je prends quelque repos avant d'en avoir une nouvelle sûre et certaine. » Aussitôt, en toute hâte, sans faire entendre le moindre bruit, le moindre murmure, elle court monter sur une mule de belle allure et douce à chevaucher. Mais je dois vous dire qu'elle ne sait pas du tout de quel côté aller au moment de quitter la cour. Elle ne le sait, elle ne le demande, mais prend le premier chemin qu'elle rencontre, allant à grande allure elle ne sait où, à l'aventure, sans escorte de chevalier ni de sergent. Elle se hâte, très désireuse d'arriver au but. Elle mène ardemment son enquête, sa poursuite, mais le résultat n'en est pas pour tout de suite.

Elle ne doit pas se reposer, ni s'attarder longtemps au même endroit si elle veut mener à bonne fin son projet, c'est-à-dire tirer Lancelot de sa prison ; encore faut-il qu'elle le trouve, et qu'il soit possible de le libérer. Mais je pense qu'avant de le trouver elle aura visité, parcouru, fouillé maint pays, sans encore rien apprendre de lui. À quoi bon raconter ses étapes et ses journées de marche ? Elle a pris mille chemins divers, traversé montagnes et vallées, monté et descendu pendant plus d'un mois sans pouvoir en apprendre davantage que ce qu'elle savait au départ, mais c'est en vain : peine perdue ! Pourtant, un jour qu'elle traversait un champ, plongée dans ses tristes pensées, elle aperçut au loin, sur le rivage, le long d'un bras de mer, une tour. Il n'y avait aux environs ni maison, ni cabane, ni abri. C'était la tour que Méléagant avait fait construire pour y mettre Lancelot ; la demoiselle n'en savait rien. Mais, sitôt qu'elle l'aperçut, son regard s'y fixa sans pouvoir s'en détourner. Son cœur lui dit que c'est là ce qu'elle a tant cherché : la voilà arrivée au but, Fortune l'y conduit tout droit après l'avoir si longtemps promenée.

La jeune fille s'approcha de la tour, et au terme de sa marche y arriva enfin. Elle la contourna tout en prêtant l'oreille, écoutant avec attention pour savoir si elle pourrait entendre quelque signal favorable. Elle inspecte le bas, lève les yeux vers le sommet, pour constater que c'est une tour haute et large. Ce qui est étrange, c'est qu'on n'y voit ni porte ni fenêtre, sauf une petite ouverture très étroite. Pour une tour si haute et élancée, aucune échelle, aucun escalier. Tout cela la confirme dans l'idée que la tour a été faite précisément pour y enfermer Lancelot. Pas question de se mettre quoi que ce soit sous la dent avant d'en avoir le cœur net. Elle avait l'intention de l'appeler par son nom, en criant « Lancelot ! » mais elle se retint car, tandis qu'elle gardait le silence, se fit entendre une voix qui se lamentait dans la tour avec une insistance extraordinaire, ne réclamant plus rien d'autre que la mort. Cet homme désirait la mort, en se plaignant beaucoup ; une souffrance excessive lui faisait désirer de mourir. Il exprimait son mépris pour la vie et pour son corps, disant faiblement, d'une voix ténue et rauque : « Hélas ! Fortune, comme ta roue a tourné pour moi dans le mauvais sens ! Elle m'a précipité du sommet où j'étais vers le bas. J'étais heureux, maintenant je suis malheureux. Les larmes ont succédé au sourire que tu me faisais. Ah ! pauvre de moi, pourquoi m'être fié à elle puisqu'elle m'a si vite abandonné ? En peu de temps elle m'a vraiment fait descendre du plus haut au plus bas. Fortune, en te moquant de moi tu as bien mal agi, mais que t'importe ? Le cours des choses t'est indifférent. Ah ! sainte Croix, Saint-Esprit, comme me voilà perdu, comme me voilà mort, déjà au terme de ma vie ! Ah ! Gauvain, vous qui avez tant de mérite, vous qui êtes d'une vaillance inégalée, vraiment je m'étonne beaucoup que vous ne veniez pas me secourir. Vraiment vous tardez trop, votre conduite manque de courtoisie. Celui que vous aimiez tant aurait bien dû recevoir votre aide. Vraiment, de ce côté de la mer ou de l'autre, je puis bien le dire sans mentir, il n'y aurait eu de lieu écarté ni de cachette où je n'eusse été vous chercher pendant six ou sept ans, voire une dizaine d'années, jusqu'à ce que je vous eusse trouvé, si j'avais appris que vous étiez retenu en prison[1]. Mais pourquoi prolonger ce débat ? Vous ne vous en souciez pas assez pour vous en mettre en peine. Le vilain a raison de dire qu'il est difficile de trouver un ami ; on peut facilement vérifier, quand on en a besoin, qui est un véritable ami[2]. Hélas ! voilà plus d'un an qu'on m'a mis dans cette tour, en prison. Gauvain, je considère comme du mépris que vous m'y ayez laissé. Mais peut-être que vous ne le savez pas et que je vous accuse à tort. Oui, c'est vrai, je le reconnais, et c'est injuste de ma part, et méchant, d'avoir eu cette pensée, car je suis certain que rien au monde n'aurait pu empêcher vos gens et vous-même de venir pour m'arracher à ce malheur et à cette adversité si vous aviez su la vérité ; et vous vous seriez senti obligé de le faire parce que nous sommes amis et compagnons, voilà le fond de ma pensée. Mais tout ce discours est vain, il est impossible que les choses se passent comme je le souhaite. Ah ! que Dieu et saint Sylvestre le maudissent, que Dieu l'abandonne à son destin, celui qui m'impose une telle honte ! C'est la pire des créatures de ce monde, ce Méléagant qui par envie m'a fait le plus de mal possible. » Alors s'éteint, alors se tait la plainte de celui qui passe sa vie dans la douleur. Mais celle qui attendait au bas de la tour avait entendu tout ce qu'il avait dit ; sans plus attendre, sachant qu'elle était sur la bonne voie, elle lança l'appel qu'il fallait en criant de toutes ses forces : « Lancelot, ami, vous qui êtes là-haut, répondez à l'une de vos amies ! » Mais lui, de l'intérieur, ne l'entendit pas. Alors elle haussa encore plus la voix, si bien que dans sa faiblesse il l'entendit à peine, et se demanda avec étonnement qui pouvait bien l'appeler. Il entendait bien une voix l'appeler, mais il ne savait pas qui l'appelait ; il pensa que ce devait être une apparition. Regardant autour de lui et vérifiant s'il pourrait voir quelqu'un, il ne vit rien, seulement sa prison, et lui-même. « Dieu, fait-il, qu'est-ce que j'entends ? J'entends parler et je ne vois rien. Ma foi, voilà merveille, je ne dors pas, je suis bien réveillé. Sans doute, si j'avais eu un songe, je pourrais me croire le jouet d'une illusion. Mais je suis éveillé, et j'en suis tout troublé. » Alors, non sans mal, il se lève et se dirige vers la petite ouverture, lentement, à petits pas, et une fois arrivé il prend appui pour voir en haut, en bas, en face et sur les côtés. En tournant son regard vers l'extérieur, il exerce sa vue et finit par apercevoir celle qui l'avait appelé : s'il ne la reconnaît pas, du moins la voit-il. Mais elle l'a reconnu aussitôt : « Lancelot, lui dit-elle, je suis venue de bien loin pour vous chercher. Voilà chose faite, Dieu merci, je vous ai retrouvé. Je suis celle qui vous a demandé un don, quand vous alliez vers le Pont de l'Épée, et vous me l'avez accordé volontiers comme je vous en priais : c'était la tête du chevalier que vous aviez vaincu ; je vous l'ai fait trancher, car il n'était pas de mes amis. C'est pour ce don, pour ce service rendu que je me suis donné tout ce mal ; c'est pour cela que je vous sortirai d'ici. — Mademoiselle, je vous en remercie, répond le prisonnier. Ce sera une belle récompense pour le service que je vous ai rendu si l'on me sort d'ici. Si vous pouvez m'en sortir, je puis vous dire et vous promettre que je resterai toujours à votre service, j'en atteste l'apôtre saint Paul ; aussi vrai que je souhaite me trouver un jour en présence de Dieu, il n'y aura aucun jour où je ne sois disposé à faire ce qu'il vous plaira de me commander. Quoi que vous me demandiez, si c'est à ma portée, vous l'aurez sans délai. — Ami, n'en doutez pas, vous serez bientôt sorti de là. Aujourd'hui même vous serez sorti et délivré ; je ne renoncerais pas pour mille livres[1] à vous tirer de là avant demain. Ensuite je vous procurerai un séjour agréable, le repos et le confort. Il n'y aura rien que vous ne puissiez obtenir de moi, si cela vous fait plaisir. N'ayez plus aucune inquiétude. Mais je dois d'abord me procurer n'importe où dans ce pays un outil permettant, si je le trouve, d'élargir cette ouverture pour que vous puissiez sortir par là. — Puisse Dieu vous permettre de le trouver ! » répond Lancelot, bien d'accord avec tout cela. « J'ai là à l'intérieur une longue corde que les gardiens m'ont donnée pour hisser ma nourriture, pain d'orge et eau trouble qui me brouillent cœur et corps. » Alors la fille de Bademagu se procure un pic fort, carré, pointu et aussitôt elle le fait parvenir à Lancelot. Il en heurte, cogne, frappe et pousse tant le mur que, non sans mal, il se ménage une sortie commode. Quel soulagement, quelle joie, sachez-le, de se voir tiré de prison, et de retrouver sa liberté de mouvement hors des murs où on le retenait en cage ! Voilà l'oiseau à l'air libre, qui peut prendre son essor ! Comprenez bien que pour tout l'or du monde, même si on l'avait entassé pour le lui offrir en cadeau, il n'aurait voulu revenir en arrière.

Voici donc Lancelot sorti de sa prison, mais si affaibli et amoindri qu'il chancelait : il n'avait plus de force. Alors la demoiselle le prit tout doucement, pour ne pas le blesser, et l'installa devant elle sur sa mule, et ils partirent à vive allure. Elle évita volontairement le chemin normal, pour qu'on ne les voie pas ; ils chevauchèrent en cachette, car marchant à découvert ils auraient pu être reconnus par quelqu'un qui leur aurait vite causé des ennuis, ce que la demoiselle voulait éviter à tout prix. Esquivant le danger de certains passages, elle arriva à un logis où elle séjournait souvent parce qu'il était beau et agréable. La demeure et son personnel étaient à ses ordres, et l'on trouvait tout le nécessaire en cet endroit qui était à la fois sûr et discret. Voilà donc Lancelot arrivé. Dès qu'il y fut venu, on le déshabilla complètement, et la demoiselle le fit doucement coucher dans un lit haut et bien fait ; puis elle le baigna et lui prodigua des soins si variés que je ne pourrais en énumérer la moitié. Elle le massait doucement et eut pour lui ces attentions qu'elle aurait pu avoir pour un père ; elle lui rendit sa fraîcheur et sa santé, ce fut un complet changement, une métamorphose. Elle le fit aussi beau qu'un ange ; il n'avait plus l'air d'un gueux ni d'un galeux, mais il était fort et beau. Alors il s'est levé. La demoiselle lui avait procuré la plus belle robe qu'elle ait pu trouver, et elle l'en habilla à son lever. Et lui, tout joyeux, l'enfila, le cœur plus léger qu'un oiseau qui vole. Il donna un baiser à la demoiselle en la prenant par le cou, et puis il lui dit avec amabilité : « Amie, avec Dieu vous êtes la seule à qui je rende grâces de me retrouver sain et guéri. C'est vous qui m'avez arraché à ma prison, et pour cette raison vous pourrez disposer de mon cœur, de mon corps, de mes services, de tout ce que j'ai. Vous avez tant fait pour moi que je vous appartiens. Mais il y a longtemps que je n'ai pas été à la cour de monseigneur Arthur qui m'a toujours grandement honoré ; j'y aurais beaucoup de choses à faire. Alors, douce et noble amie, au nom de notre amitié je vous prierais de me donner l'autorisation de partir, et j'irais volontiers là-bas, si vous en étiez d'accord. — Lancelot, mon doux ami, cher et beau, répondit la demoiselle, je le veux bien ; je n'ai en vue que votre honneur et votre bien, partout, où que ce soit. » Elle lui fait don d'un cheval extraordinaire qui lui appartient[1], le meilleur qu'on ait jamais vu, et il saute en selle, sans demander aux étriers de l'aider à monter ; il était à cheval avant d'avoir eu le temps de s'en rendre compte. Alors ils se recommandent à Dieu, qui jamais ne déçoit.

Lancelot s'était mis en route si joyeux que, même si je l'avais promis et juré, je ne pourrais, malgré tous mes efforts, décrire la joie qu'il éprouvait de s'être ainsi échappé de la prison où il avait été pris au piège. Mais maintenant il se répète souvent que l'autre a fait son malheur en le retenant prisonnier, le traître, le dévoyé : le voilà victime d'un bon tour, d'une autre ruse : « Malgré lui j'en suis sorti ! » se dit-il. Alors il jure sur le cœur et le corps de Celui qui créa l'univers qu'il ne voudrait pour tous les biens et la richesse qu'on trouve de Babylone à Gand laisser Méléagant en réchapper, une fois qu'il le tiendrait à sa merci et l'aurait vaincu ; il s'est trop mal conduit à son égard en souhaitant sa honte. Mais les événements vont lui permettre d'y parvenir ; en effet, ce même Méléagant qu'il menace sans recours était venu ce jour-là sans que personne l'ait invité. Dès son arrivée, il réclama monseigneur Gauvain avec une telle insistance qu'il put le voir. Alors il lui demande des nouvelles de Lancelot, ce coquin, ce fieffé trompeur : l'a-t-on vu et retrouvé ? Comme s'il n'en savait rien ! C'est vrai qu'il était mal informé, mais il pensait être bien au courant. Alors Gauvain lui dit la vérité, qu'il n'avait pas vu Lancelot car il n'était pas revenu. « Puisque les circonstances font que je vous trouve ici, dit Méléagant, venez donc, et remplissez votre promesse ; je ne veux pas attendre davantage. — J'honorerai d'ici peu, s'il plaît à Dieu en qui je crois, ma dette à votre égard. Je compte bien m'en acquitter. Mais si nous jouons pour gagner, et si mes coups l'emportent sur les vôtres, par Dieu et sainte Foi, j'empocherai tous les enjeux, je ne vous laisserai pas d'échappatoire. » Alors Gauvain, sans plus attendre, ordonne que l'on mette et étende sur place un tapis devant lui. Rapidement, mais en ordre, les écuyers obéissent à ses ordres, sans grogner ni récriminer. Ils prennent le tapis et l'étendent à l'endroit qu'il a indiqué ; il s'installe dessus[1] et, sans attendre, demande qu'on lui revête ses armes : des valets sont à sa disposition, qui n'ont pas encore mis leur manteau. Il y en avait trois, qui étaient ses cousins ou ses neveux, je ne sais plus, mais vraiment experts en armes, et qualifiés. Ils surent bien l'armer, c'était du bon travail où personne n'aurait trouvé à redire jusque dans le moindre détail. Une fois Gauvain ainsi armé, l'un d'eux alla chercher un destrier d'Espagne, plus rapide à la course par les champs, les bois, les collines et les vallées que ne fut le brave Bucéphale[2]. C'est donc sur un tel cheval que monta le célèbre chevalier Gauvain, le plus expert de ceux devant qui les gens font le signe de croix. Et il voulait déjà prendre son écu quand il vit devant lui Lancelot, arrivé à l'improviste, descendre de cheval. Il le regarda avec étonnement, son arrivée avait été si soudaine ! Sans mentir, Gauvain était aussi étonné que si Lancelot était à l'instant tombé du ciel. Mais rien ne peut le retenir, aucune autre nécessité l'empêcher, quand il voit que c'est bien lui, de descendre de cheval ; et alors il se dirige vers lui les bras tendus, il le prend par le cou, le salue, l'embrasse. Le voilà plein de joie, le voilà tout heureux d'avoir retrouvé son compagnon. Et je vous dirai tout de suite, n'allez pas en douter, que Gauvain aurait sur-le-champ refusé d'être choisi comme roi s'il avait dû renoncer pour autant à Lancelot.

Déjà le roi sait, et tout le monde avec lui, que Lancelot, n'en déplaise à certains, après avoir été pendant de longs jours attendu, est revenu sain et sauf. C'est une réjouissance générale, et la cour se rassemble pour fêter celui qu'elle espérait depuis si longtemps retrouver. Nul, quel que soit son âge, jeune ou vieux, ne boude cette joie. Une joie qui dissipe et efface la douleur qui régnait auparavant. Le chagrin s'enfuit, se manifeste la joie qui sollicite tout le monde. Et la reine, ne participe-t-elle pas à ces manifestations de joie ? — Mais si, elle en premier. — Comment cela ? — Mon Dieu, où serait-elle, sinon ? Jamais elle n'a éprouvé une joie semblable à celle que suscite son retour et elle ne serait pas venue à sa rencontre ? Elle est en vérité si près de lui que pour un peu le corps suivrait le cœur. — Et que faisait le cœur ? — Il prodiguait baisers et autres familiarités à Lancelot. — Mais le corps, pourquoi dissimulait-il ? Sa joie n'était-elle pas parfaite ? Éprouvait-il de la colère et de la haine[1] ? — Non, assurément, pas du tout, mais cela pourrait bien être le cas pour certains : il y a le roi et d'autres qui sont présents et ont leurs yeux à l'affût ; ils découvriraient toute l'affaire si, en présence de tous, le corps obéissait à toutes les volontés du cœur. Si la raison ne réprimait pas cette folle pensée, cet emportement, on verrait apparaître le secret de ses sentiments ; ce serait alors le comble de la folie. C'est pourquoi elle enferme et retient son cœur insensé et ses idées folles. Elle l'a un peu ramené au bon sens et a remis la chose à plus tard, guettant le moment où elle verrait un endroit favorable, un endroit plus privé où ils pourraient plus tranquillement qu'en ce moment arriver à bon port. Le roi réserva à Lancelot bien des marques d'honneur, et après l'avoir convenablement fêté, il lui dit : « Ami, voilà longtemps que je n'ai pas eu d'aussi bonnes nouvelles de quelqu'un ; mais je me demande sur quelle terre, dans quel pays vous avez été pendant tout ce temps. Durant tout l'hiver et tout l'été je vous ai fait rechercher, par monts et par vaux, et l'on n'a jamais pu vous trouver. — Vraiment, beau sire, fit Lancelot, je peux vous dire en deux mots ce qui m'est arrivé. Méléagant m'a retenu en prison, ce tricheur hypocrite, depuis le moment où les prisonniers retenus sur sa terre ont été délivrés, et il m'a fait mener une vie honteuse dans une tour qu'il a fait construire au bord de la mer ; c'est là qu'il m'a fait mettre et enfermer, et j'y subirais encore ce régime très pénible sans une de mes amies, une jeune fille à qui j'avais jadis rendu un petit service. Pour un petit cadeau elle m'a donné une large récompense, me faisant grand honneur et me rendant un grand service. Mais à celui qui ne mérite aucune sorte de respect, celui qui est responsable, coupable, auteur de ce sort indigne et de ce crime dont j'ai été la victime, je veux régler son compte immédiatement et sans délai. C'est bien ce qu'il est venu chercher, et il va l'avoir. Il ne faut pas le faire attendre puisqu'il est tout à fait prêt ; moi aussi je suis prêt. Dieu veuille qu'il n'ait pas à s'en réjouir. » Alors Gauvain dit à Lancelot : « Ami, ce remboursement, si c'est moi qui le fais à votre créancier, je n'y aurai pas grand mérite. Moi aussi je suis prêt et à cheval, comme vous voyez. Beau doux ami, ne me refusez pas ce service que je souhaite et réclame ! » Mais Lancelot répondit qu'il se laisserait plutôt arracher de la tête un œil, voire les deux, que de se rallier à cette proposition. Il jure que cela ne peut pas se faire. C'est lui qui a une dette et il l'acquittera car il l'a juré lui-même en prêtant serment. Gauvain voit bien qu'il n'y a rien à faire, quoi qu'il dise. Il ôte le haubert qu'il avait enfilé et toute son armure. Lancelot revêt cette armure aussitôt, avec empressement ; il est impatient de voir l'heure où il aura payé et acquitté sa dette. Il ne sera pas heureux tant que Méléagant n'aura pas reçu son dû. Mais l'autre, frappé d'étonnement, est prêt de perdre la raison en voyant de ses propres yeux cet événement merveilleux. Il s'en faut de peu qu'il ne se mette à divaguer ; c'est à peine s'il garde le contrôle de ses pensées. « Vraiment, dit-il, j'ai été bien fou de ne pas aller voir, avant de venir ici, si je le tenais encore dans ma prison et dans ma tour, car il vient de me jouer un tour. Ah ! Dieu, et pourquoi y serais-je allé ? Comment, pour quelle raison aurais-je pensé qu'il pourrait en sortir ? Les murs n'étaient-ils pas assez solidement construits, la tour n'est-elle pas assez forte ni assez haute ? Il n'y avait ni trou ni faille par où il pût sortir sans aide venue du dehors. Peut-être qu'il y a eu une dénonciation. Admettons que les murs se soient détériorés, qu'ils se soient éboulés et écroulés ; n'aurait-il pas été écrasé par eux, tué, mis en morceaux et broyé ? Bien sûr que si, par Dieu, s'ils étaient tombés, à coup sûr il serait mort. Mais, je pense, avant que les murs ne faiblissent toute la mer aussi fera défaut, il ne restera plus une goutte d'eau, et ce sera la fin du monde ; à moins qu'ils ne soient abattus par une force extérieure. Mais il en va tout autrement, cela ne s'est pas passé ainsi. Il aura reçu de l'aide pour sortir, il n'a pas pu s'envoler autrement. C'est un complot qui m'a joué ce tour. Quoi qu'il en soit, le voilà dehors. Si j'avais fait plus attention, cela ne serait pas arrivé, il ne serait pas venu à la cour. Mais il est trop tard pour se repentir. Celle qui ne trompe jamais, la sagesse populaire, dit bien une vérité établie, qu'il est trop tard pour fermer l'écurie quand le cheval a été volé. Je sais bien qu'on va me traîner dans la boue et dans la honte si je n'affronte pas l'épreuve de la souffrance. Souffrir, endurer quoi ? Tant que je pourrai tenir, je lui donnerai de quoi s'occuper, s'il plaît à Dieu à qui je fais confiance. » C'est ainsi qu'il cherche à reprendre assurance et il n'aspire à plus rien d'autre qu'à leur rencontre sur le champ de bataille. Et le moment était arrivé, je crois, car Lancelot allait le chercher, pensant bien le vaincre rapidement. Mais avant leur assaut le roi dit à chacun de descendre dans la lande au pied du donjon (c'est la plus belle lande qu'on puisse trouver jusqu'en Irlande). C'est ce qu'ils ont fait ; ils s'y sont rendus en dévalant rapidement la pente. Le roi s'y est aussi rendu, suivi par tout le monde, hommes et femmes, par troupes entières et par groupes. Tous se sont rendus là, personne ne restant en arrière ; mais aux fenêtres aussi se sont installées, avec la reine, dames et demoiselles pour voir Lancelot.

Sur la lande il y avait un sycomore, le plus beau qu'on puisse trouver ; il tenait beaucoup de place, tant il avait largement poussé. Tout autour une herbe fine formait une bordure fraîche et belle, qui se renouvelait en toute saison. Sous ce noble et beau sycomore, planté au temps d'Abel[1], jaillissait une source au débit rapide. Elle courait sur un beau et clair gravier de couleur argentée depuis une conduite fondue en or fin, je pense, à travers la lande, suivant la pente jusqu'à un vallon entre deux bois. C'est là que le roi avait décidé de s'asseoir, trouvant l'endroit très agréable. Il fit se retirer les gens en arrière. Alors Lancelot fonça vers Méléagant de tout son élan, comme transporté par la haine. Mais avant de le frapper il lui cria d'une voix haute et farouche : « Avancez par ici, je vous lance un défi ! Et sachez bien que je ne vous épargnerai pas ! » Puis il éperonna son cheval, le ramenant en arrière pour prendre du champ à environ une portée d'arc. Ils se précipitèrent alors l'un vers l'autre de toute la vitesse de leurs chevaux. Ils ont d'abord frappé sur leurs écus, que malgré leur solidité ils transpercent sans cependant se blesser ni s'atteindre dans leur chair, ni l'un ni l'autre pour cette fois. Ils se sont croisés rapidement mais reviennent au galop de leurs chevaux frapper sur leurs écus solides et résistants. Ils ont encore montré leur force, en chevaliers courageux et vaillants portés par des chevaux robustes et rapides. La force de leurs coups appliqués sur les écus pendus à leur cou a fait traverser leurs lances sans qu'elles se fendent ni se brisent, si bien qu'elles ont atteint cette fois leur chair mise à nu. Chacun a poussé de toutes ses forces, jetant l'autre à terre sans qu'aient pu résister poitrails, sangles ni étriers pour les empêcher de vider leur selle et de tomber sur la terre nue. Les chevaux affolés partirent dans tous les sens ; ruant ou mordant, ils cherchaient aussi à s'entretuer. Après leur chute les chevaliers se relevèrent le plus vite possible, tirant leurs épées où étaient gravées leurs devises. Tenant l'écu à hauteur du visage pour se protéger, ils cherchèrent désormais une ouverture pour faire mal avec leur épée d'acier tranchant. Lancelot n'avait pas peur car il était deux fois plus habile que Méléagant au maniement de l'épée, l'ayant appris dès son enfance. Ils se donnent tous les deux de grands coups sur leurs écus et sur les heaumes lamés d'or, si bien qu'ils les ont fendus et bosselés. Mais Lancelot presse son adversaire de plus en plus, et voilà qu'il lui assène puissamment un grand coup sur le bras droit que l'écu a laissé à découvert, et malgré le fer qui le protège il le tranche net. Se sentant mutilé, Méléagant dit qu'il lui vendra cher sa main droite ainsi perdue. Si l'occasion s'en présente, il n'hésitera pas, rien ne le retiendra. En fait, il éprouve une telle douleur, une telle colère, une telle rage qu'il n'est pas loin de devenir fou ; il se tient pour méprisable s'il ne réserve pas à son adversaire un mauvais coup de sa façon. Il court vers lui, pensant le surprendre, mais Lancelot est sur ses gardes. Du tranchant de son épée, il lui a fait une telle brèche et entaille que l'autre ne s'en remettra pas avant que ne passent avril et mai ; car le coup qu'il lui donne sur le nasal le lui fait rentrer dans les dents, dont trois se brisent dans sa bouche. La fureur de Méléagant est telle qu'il ne peut plus parler ni dire un mot, et il ne daigne pas demander grâce, car la folie de son cœur lui donne un mauvais conseil dont il reste prisonnier et ligoté. Lancelot s'approche, il lui délace son heaume et lui tranche la tête. Celui-là ne pourra plus lui échapper : il est tombé mort, c'en est fait de lui. Je peux vous dire que personne dans l'assistance à ce spectacle n'éprouve de pitié pour lui. Le roi et tous ceux qui sont là manifestent une grande joie. Alors Lancelot est désarmé par les plus enthousiastes, et il est promené en triomphe.

Seigneurs, si je continuais mon récit je sortirais de mon sujet. C'est pourquoi je me dispose à conclure : ici s'arrête tout à fait le roman. Le clerc Godefroi de Lagny a achevé *La Charrette.* Mais que personne ne lui reproche d'avoir continué le travail de Chrétien, car il l'a fait avec le complet accord de Chrétien qui l'a commencé. Son travail a débuté au moment où Lancelot est mis en prison, et duré jusqu'à la fin. C'est tout ce qu'il a fait, il ne veut rien y ajouter ni rien en retrancher : ce serait nuire à la qualité du conte.

ICI SE TERMINE LE ROMAN
DE LANCELOT DE LA CHARRETTE

DOSSIER

REPERES BIOGRAPHIQUES

De Chrétien de Troyes, nous ne savons presque rien et seuls les prologues de ses romans peuvent nous permettre de jeter quelque lumière sur la vie du poète et son environnement culturel. Né peut-être vers 1135-1140 et mort avant 1190, il fut probablement un clerc attaché à la cour de Champagne comme en témoigne, dans le prologue du *Chevalier de la Charrette,* la dédicace à la comtesse Marie de Champagne (1145-1198), fille du roi de France Louis VII et d'Aliénor d'Aquitaine, laquelle fut la petite-fille de Guillaume IX de Poitiers, le premier des troubadours. Grâce à cette transmission filiale, grâce aux alliances familiales et princières, la cour de Champagne recueillit l'idéal courtois de la poésie de langue d'oc et le merveilleux des légendes celtiques, dont la diffusion dans la France du Nord fut favorisée par le remariage d'Aliénor avec le roi Henri II d'Angleterre, et les échanges culturels qui s'ensuivirent entre l'île et les cours du continent. On a ainsi supposé que Chrétien avait séjourné en Angleterre, à la cour d'Henri II et d'Aliénor, d'après la précision de la toponymie anglaise dans son œuvre, certaines descriptions comme celle du palais de Windsor dans *Cligès,* et l'allusion possible à des événements historiques qu'elle refléterait. Mais sans être invraisemblables, ces hypothèses sont invérifiables dans l'état actuel de nos connaissances. On a cru aussi identifier notre auteur en la personne d'un certain *Christianus,* chanoine de l'abbaye Saint-Loup de Troyes, mais le prénom Chrétien étant fort répandu à cette époque, cette identification reste hasardeuse.

Qu'on ait bien voulu l'identifier à un chanoine témoigne de l'étendue du savoir et de la culture que révèle son œuvre. De celle-ci nous sont parvenus cinq romans : *Érec et Énide* (vers 1170), *Cligès* (vers 1176), *Yvain ou le Chevalier au Lion, Lancelot ou le Chevalier de la Charrette* (tous deux composés conjointement entre 1176 et 1181), enfin *Perceval ou le Conte du Graal,* écrit entre 1181 et avant 1190, et demeuré inachevé, peut-être en raison de la mort de l'auteur. Tous ces romans sont d'attribution certaine, car ils sont signés du nom de Chrétien et ont été recueillis dans un même manuscrit, copié par Guiot de Provins, vers 1230-1240. Le reste de son œuvre est perdu ou d'attribution incertaine.

Dans le prologue de *Cligès,* Chrétien dresse la liste des récits qu'il a déjà composés et mentionne quatre adaptations du poète latin Ovide (43 avant J.-C. - 17 ou 18 après J.-C.) : l'*Art d'aimer,* les *Remèdes d'amour,* l'histoire de Pélops, et celle de Philomène, tirées du livre VI des *Métamorphoses.* Aucune de ces œuvres ne nous est parvenue, à l'exception peut-être de *Philomena,* poème signé *Crestiens li Gois* et inséré dans la traduction du XIIIe-XIVe siècle des *Métamorphoses,* connue sous le nom d'*Ovide moralisé.* Mais, à supposer que les scribes de la fin du XIIIe siècle n'aient pas conservé le souvenir exact du poète champenois, est-il bien légitime de considérer cette signature comme une altération de Chrétien de Troyes ? Si le travail poétique de Chrétien sur Ovide a bel et bien disparu, il transparaît néanmoins dans les sentences sur l'amour que renferme le *Chevalier de la Charrette,* autant que par la claire allusion à l'histoire de Pyrame et Thisbé, relatée au livre IV des *Métamorphoses.* Au début de *Cligès,* Chrétien fait aussi parade d'une autre œuvre, pour nous perdue, qui traitait « del roi Marc et d'Ysalt la blonde » (v. 5). Le silence fait sur l'amant, Tristan, a été souvent interprété comme le signe d'une crispation morale de Chrétien qui écrivit essentiellement des romans nuptiaux, et à qui l'amour adultère semblait répugner, au point qu'on imputa souvent l'abandon du *Chevalier de la Charrette* à un dégoût de l'auteur face à un sujet imposé par la comtesse de Champagne.

À tous ces poèmes perdus, il convient d'ajouter des œuvres d'attribution incertaine. Ainsi prête-t-on à Chrétien deux chansons courtoises, ce qui ferait de notre auteur l'un des premiers trouvères de langue d'oïl, et un récit pieux, *Guillaume d'Angleterre,* inspiré de la légende de saint Eustache. Mais le ton et le sens profond de ce récit non arthurien diffèrent tant des autres romans du poète qui tous parlent d'armes et d'amour, qu'il convient de considérer cette attribution, en dépit de la signature, *Crestiiens,* comme aventureuse.

NOTICE

TRADITION MANUSCRITE

Des huit manuscrits copiés au XIIIe siècle qui nous ont transmis *Le Chevalier de la Charrette*, deux seulement donnent le texte dans son intégralité, les copistes médiévaux n'ayant pas le même respect des textes profanes que les éditeurs modernes et transcrivant très souvent, selon le désir du commanditaire, des morceaux choisis. Le manuscrit B. N. fr. 12560, copié dans un dialecte champenois, est jugé moins bon que le manuscrit B. N. fr. 794, exécuté dans le premier tiers du XIIIe siècle, par le scribe Guiot de Provins. C'est sur ce manuscrit, qui est le plus ancien et contient les cinq romans de Chrétien, que se fondent l'édition et la traduction de Daniel Poirion, pour la bibliothèque de la Pléiade. Le texte proposé dans la présente édition reprend sans apporter aucun changement la traduction de Daniel Poirion.

L'UNIVERS ARTHURIEN AVANT CHRÉTIEN DE TROYES

Si la légende arthurienne a pris naissance en Angleterre et au Pays de Galles, dans des contes oraux, elle a été véhiculée également par une tradition historiographique savante. Le premier ouvrage qui fixe les principales données de la légende arthurienne est une chronique latine, écrite vers 1138 par un clerc gallois, Geoffroy de Monmouth : l'*Historia regum Britanniae* (*« Histoire des rois de Bretagne »*). Comme l'indique son titre, cette chronique raconte en douze livres toutes les péripéties de l'histoire de l'Angleterre, depuis sa colonisation par Brutus, descendant du Troyen Énée, jusqu'à l'invasion de l'île par les Angles et les Saxons, qui marqua la fin de l'indépendance bretonne. Les derniers livres consacrés au roi Arthur, érige ce chef militaire breton qui, dans la réalité, lutta contre les Saxons vers 500, en conquérant capable de faire trembler la puissance militaire de Rome. À l'exception de Lancelot, on retrouve les personnages principaux de l'entourage d'Arthur. Ainsi son épouse Guenièvre est-elle déjà une femme adultère, car elle trahit les liens du mariage pour vivre en concubinage avec Mordret, un neveu du roi qui, dans les romans du XIIIe siècle, deviendra le fils incestueux que celui-ci conçut avec sa demi-sœur. Le succès de l'*Historia regum Britanniae* fut tel, que, vers 1155, un clerc anglo-normand, nommé Wace, en fit une adaptation en langue vulgaire : le *Roman de Brut*, dédié à Aliénor d'Aquitaine, épouse du roi d'Angleterre, Henri II Plantagenêt. Premier texte de la langue française consacré à Arthur et à sa Table Ronde, dont la création est pour la première fois mentionnée, le *Roman de Brut* a fourni à Chrétien le cadre et le contexte chevaleresque de ses romans qui se situent durant les douze années de paix du règne d'Arthur, période sur laquelle Wace fait silence, au contraire des Bretons qui, si on l'en croit, racontent à ce sujet maintes fables. Sans doute faut-il voir dans cette tradition orale, suspecte aux yeux de Wace, l'une des sources majeures de Chrétien.

CONTINUATION DU *CHEVALIER DE LA CHARRETTE* : LA MISE EN CYCLE D'UNE LÉGENDE

Le Chevalier de la Charrette fut à l'origine d'un vaste ensemble en prose, anonyme, composé vers 1220-1225, appelé *Lancelot propre*. Cette œuvre constitue le noyau d'un cycle romanesque, nommé *Lancelot-Graal*, qui relie l'histoire du monde arthurien à celle du Graal et qui comprend cinq parties, écrites à des dates différentes :

L'Estoire del saint Graal, composée vers 1230-1235, se situe au temps de la Passion du Christ. Après avoir relaté l'origine du Graal, vase dans lequel Joseph d'Arimathie recueillit le sang du Sauveur, elle raconte son transfert d'Orient en Grande-Bretagne, à travers l'histoire du lignage de ses gardiens, qu'elle prolonge jusqu'à la mort de Lancelot, le grand-père paternel de Lancelot du Lac.

L'Estoire de Merlin, écrite avant 1240, relate la conception extraordinaire de Merlin, fils d'un démon et d'une vierge, et l'histoire des rois de Grande-Bretagne jusqu'à l'avènement du roi Arthur, né des amours d'Uter et d'Igerne que favorise l'enchanteur.

Le *Lancelot propre* est la partie originelle du cycle : elle narre la naissance de Lancelot du Lac, fils du roi de Gaunes, Ban de Benoïc et de la reine Hélène, puis son enlèvement par la fée Niniane qui l'éduque dans son domaine caché sous un lac. Adoubé à la cour d'Arthur, Lancelot s'éprend de la reine et gagne son amour par ses magnifiques exploits. Ce vaste roman raconte aussi la conception de Galaad, le fils de Lancelot et de la fille du roi Pellés, le dernier gardien du Graal. La liaison adultère que Lancelot entretient avec la reine lui interdisant d'être l'élu du Graal, c'est son fils, Galaad, pur de tout péché, qui est destiné à mettre fin aux aventures du royaume de Logres et à découvrir les secrets du saint vase.

La Queste del saint Graal, composée vers 1225-1230, raconte comment l'apparition du Graal, un jour de Pentecôte, rassasie les chevaliers réunis à la Table Ronde. Lorsqu'il disparaît, tous décident de partir à sa recherche. Le roman relate principalement la quête entreprise par cinq chevaliers : Gauvain, trop mondain, rentre à la cour, sans avoir rencontré de notables aventures ; souillé par son amour adultère pour Guenièvre, Lancelot ne pourra qu'entrevoir les merveilles du Graal, mais, au terme d'un sincère repentir et d'une dure pénitence, il gagnera son salut ; Bohort et Perceval, résistant aux tentations du diable, grâce à leur chasteté et leur piété, seront élus aux côtés de Galaad, le chevalier vierge et pur de tout péché, et tous trois assisteront à la liturgie du Graal, au château de Corbenic. Mais seul Galaad, qui mourra après avoir contemplé l'intérieur du Graal, aura la révélation des secrets qu'il renferme.

La Mort le roi Artu, écrite vers 1230, conclut cet immense cycle en donnant à la passion de Lancelot et Guenièvre une dimension apocalyptique, car sa révélation sera à l'origine de la destruction du monde arthurien. Revenu à la cour du roi Arthur, après la quête du Graal, Lancelot retombe dans son péché. Révélée au roi par un frère de Gauvain et par la fée Morgain, la liaison de Lancelot et Guenièvre est à l'origine d'une guerre qu'Arthur va livrer à Lancelot dans son royaume de Gaunes, après avoir confié la garde de son trésor et la protection de la reine à son neveu Mordret. La guerre s'achève par un combat singulier entre Lancelot et Gauvain, au cours duquel ce dernier est mortellement blessé. Alors qu'Arthur s'apprête à lever le siège de Gaunes, il apprend que Mordret, en fait le fils incestueux qu'il conçut avec sa demi-sœur, s'est fait proclamer roi et veut épouser la reine. Arthur revient en Angleterre et dans la plaine de Salisbury, engage une mortelle bataille contre Mordret : il tue son fils qui le blesse grièvement. Aidé de Girflet, le roi gagne le rivage, lui donne l'ordre de jeter son épée, Escalibur, dans un lac, puis s'embarque à bord d'un navire conduit par des fées. Quelques jours plus tard, Girflet découvre la tombe du roi Arthur. La reine Guenièvre se réfugie dans une abbaye où elle meurt bientôt. Quant à Lancelot, après avoir exterminé les fils de Mordret qui se sont emparés du pouvoir, il se retire dans un ermitage où il connaît une sainte fin. Précipitée par la révélation de la trahison de Lancelot, la fin du monde arthurien est contenue aussi dans la faute sexuelle d'Arthur.

BIBLIOGRAPHIE SELECTIVE

ÉDITION ET TRADUCTION

CHRÉTIEN DE TROYES, *Le Chevalier de la Charrete*, édité par Mario Roques, Champion, C. F. M. A., 1958.

CHRÉTIEN DE TROYES, *Le Chevalier de la Charrette*, traduction par Jean Frappier, Champion, C. F. M. A., 1962.

CHRÉTIEN DE TROYES, *Œuvres complètes*, édition et traduction sous la direction de Daniel Poirion, Gallimard, coll. Bibliothèque de la Pléiade, 1994.

ÉTUDES D'ENSEMBLE

BAUMGARTNER (Emmanuèle), *Chrétien de Troyes : Yvain, Lancelot, la charrette et le lion*, P.U.F., coll. Études Littéraires, 1992.

FRAPPIER (Jean), *Chrétien de Troyes, l'Homme et l'Œuvre*, coll. Connaissance des Lettres, 50. Hatier, 1968. Sur *Le Chevalier de la Charrette*, voir p. 122-144.

KÖHLER (Erich), *L'Aventure chevaleresque. Idéal et réalité dans le roman courtois*, Gallimard, 1974.

LOOMIS (Roger Sherman), *Arthurian Tradition and Chrétien de Troyes*, New York, Columbia University Press, 1949. Sur *Le Chevalier de la Charrette*, voir p. 187-266.

POIRION (Daniel), *Résurgences. Mythe et littérature à l'âge du symbole* (*XIIe siècle*), P.U.F., 1986. Sur *Le Chevalier de la Charrette*, voir p. 164-177.

MÉLA (Charles), *La Reine et le Graal, La conjointure dans les romans du*

Graal, de Chrétien de Troyes au Livre de Lancelot, Seuil, 1984. Sur *Le Chevalier de la Charrette*, voir p. 256-323.

RIBARD (Jacques), *Le Chevalier de la Charrette. Essai d'interprétation symbolique*, Nizet, 1972.

SÉGUY (Mireille), *Lancelot*, éditions Autrement, coll. Figures mythiques, 1996.

ÉTUDES SUR *LE CHEVALIER DE LA CHARRETTE*

ACCARIE (Maurice), « L'éternel départ de Lancelot. Roman clos et roman ouvert chez Chrétien de Troyes », *Mélanges A. Planche*, Publications de la Faculté des Lettres et Sciences humaines de Nice, Nice-Paris, Les Belles Lettres, 1984, p. 1-20.

ALVARES (Cristina), « Le Conflit père-fils dans *Le Chevalier de la Charrette* », dans *Les Relations de parenté dans le monde médiéval, Senéfiance*, 26, Aix-en-Provence, Publication du Cuer Ma, Université de Provence, 1989, p. 117-130.

BOUTET (Dominique), « Lancelot : préhistoire d'un héros arthurien », *Annales Économies-Sociétés-Civilisations*, 1989, n° 5, p. 1229-1244.

FOWLER (David C.), « L'amour dans le *Lancelot* de Chrétien », *Romania*, t. 91, 1970, p. 378-391.

FRAPPIER (Jean), « Le prologue du *Chevalier de la Charrette* et son interprétation » *Romania*, t. 93, 1972, p. 337-377.

JONIN (Pierre), « Le vasselage de Lancelot dans le *Conte de la Charrette* », *Moyen Âge*, t. 58, 1952, p. 281-298.

MADDOX (Donald), « Lancelot et le sens de la coutume, » *Cahiers de Civilisation médiévale*, t. 29, 1986, p. 339-353.

MICHA (Alexandre), « Sur les sources de la Charrette », *Romania*, t. 71, 1950, p. 345-358.

PARIS (Gaston), « Études sur les romans de la Table Ronde ; Lancelot du Lac », *Romania*, t. 10, 1881, p. 465-496, et *Romania*, t. 12, 1883, p. 459-534.

PAYEN (Jean-Charles), « Un auteur en quête de personnage : Chrétien de Troyes à la découverte de Lancelot », Actes du colloque des 14 et 15 janvier 1984, Université de Picardie, Centre d'études médiévales d'Amiens, *Lancelot*, publiés par les soins de Danielle Buschinger, Göppingen, Kümmerle Verlag, 1984, p. 163-177.

SALY (Antoinette), « L'épisode du Pré aux Jeux dans le *Chevalier de la charrette* », Actes du colloque des 14 et 15 janvier 1984, Université de Picardie, Centre d'études médiévales d'Amiens, *Lancelot*, publiés par les soins de Danielle Buschinger, Göppingen, Kümmerle Verlag, 1984, p. 191-197.

SHIRT (David J.), « Chrétien de Troyes et une coutume anglaise », *Romania*, t. 94, 1973, p. 178-195.

VERCHÈRE (Chantal), « Du mépris à la méprise : l'impossible retour de Lancelot du Lac », *Cahiers de Civilisation Médiévale*, t. 25, 1982, p. 129-137.

WALTER (Philippe), « Lancelot, l'Archange apocryphe (réminiscence et réécriture dans le *Chevalier de la Charrette* », Actes du colloque des 14 et 15 janvier 1984, Université de Picardie, Centre d'études médiévales d'Amiens, *Lancelot*, publiés par les soins de Danielle Buschinger, Göppingen, Kümmerle Verlag, 1984, p. 225-238.

NOTES

Page 31.

1. Il s'agit de Marie (1145-1198), fille aînée du roi de France Louis VII et d'Aliénor d'Aquitaine. Elle épousa, en 1164, le comte de Champagne Henri 1er, dit le Libéral (1127-1181), et réunit, autour d'elle, à Troyes, une cour réputée pour son rayonnement poétique et littéraire.

2. Le mot *sardoine* vient du latin *sardonyx* (« onyx de Sardaigne ») et désigne une pierre fine de couleur brunâtre.

3. On reconnaît les trois plans de l'écriture romanesque, distingués par Chrétien : la *matière* est le sujet narratif, l'idée directrice (le *sen* en ancien français) est le sens secret, à valeur d'enseignement moral, qui se dégage des aventures du héros, enfin la *conjointure* est l'art poétique, consistant à mettre en forme la matière et à agencer l'architecture romanesque.

Page 32.

1. L'Ascension est une fête mobile qui a lieu quarante jours après Pâques. Le temps des romans arthuriens est rythmé par le rassemblement périodique de la cour, autour du roi, aux grandes fêtes religieuses. La fête arthurienne la plus éclatante est la Pentecôte, qui, avec Pâques et l'Ascension, célèbre le retour de la belle saison, temps de l'amour, des chevauchées et de l'aventure dans les récits médiévaux.

2. Réputé pour sa présomption et sa méchante langue, Keu est le sénéchal du roi Arthur. À ce titre, il est chargé du ravitaillement de la cour. de la direction de la domesticité et de l'ordonnance-

ment des repas. C'est lui qui invite le roi et la cour à passer à table et qui leur présente les plats.

3. Le début de l'aventure est marqué par l'arrivée de ce chevalier anonyme, discourtois et agressif, qui vient, par son défi, briser l'harmonie de la cour. Son nom ne sera révélé qu'ultérieurement par une demoiselle, rencontrée en chemin (p. 44).

Page 33.

1. Par ce défi, le sort de la reine est lié à celui des prisonniers, retenus au royaume de Gorre. Les motivations psychologiques du chevalier, qui agit peut-être par amour pour la reine, sont laissées dans l'ombre. Derrière ce comportement énigmatique, on reconnaît un motif de conte, bien répertorié dans les légendes celtiques : un personnage de l'au-delà vient enlever son épouse au roi qui devra aller la reconquérir.

Page 34.

1. Keu sollicite du roi et de la reine une faveur dont il ne révèle pas la nature et qu'ils seront tenus de lui accorder, quelle qu'elle soit, en vertu de la promesse qu'ils lui auront faite. Ce motif de conte, appelé le don contraignant, entraîne souvent des conséquences catastrophiques pour qui l'accorde : Arthur sera ainsi contraint de laisser partir Guenièvre avec Keu qui ne saura la défendre contre Méléagant. Voir Jean Frappier, « Le motif du don contraignant dans la littérature française du Moyen Âge », dans *Amour courtois et Table Ronde*, Genève, Droz, 1973, p. 225-264.

Page 35.

1. Ce discret appel de la reine à son ami est une annonce voilée de l'entrée en scène de Lancelot. Il laisse supposer une liaison existant déjà entre la reine et Lancelot.

Page 36.

1. L'apparition mystérieuse de ce chevalier inconnu (qui n'est autre que Lancelot du Lac) suscite autant d'interrogations que celle du chevalier orgueilleux, venu défier le roi Arthur. L'état de sa monture laisse supposer qu'il a effectué une longue chevauchée, à bride abattue, mais le texte ne précise pas d'où il vient et ne semble pas le rattacher à la cour du roi.

Page 37.

1. Chrétien de Troyes a réservé à son héros une entrée en scène peu glorieuse. Une première fois apparu sur une monture épuisée, le voilà maintenant à pied ! Dans cet effet de crescendo se laisse entrevoir le rapport légèrement ironique de l'auteur à son personnage.

Page 38.

1. Le combat judiciaire était un mode de preuve d'innocence usité en justice. Attesté dès le VIe siècle chez des peuples barbares, comme les Burgondes et les Francs, il repose sur l'idée que Dieu laisse l'innocent l'emporter. Malgré la prohibition de l'Église, il fut pratiqué jusqu'au XIIIe siècle, proscrit du domaine royal par saint Louis (1258). Ailleurs, il sortit de l'usage au cours des deux siècles suivants.

2. La nature du supplice attaché à la charrette demeure mystérieuse. Il ne s'agit pas d'un supplice physique, mais d'une dégradation publique et symbolique de l'individu qui y est exposé. Avec la charrette apparaît le thème de la honte, fondamental pour le *sen* du roman : l'amour est plus fort que la honte.

3. Ce rituel de conjuration révèle la nature maléfique de la charrette, annonciatrice de la mort dans les légendes bretonnes.

4. L'auteur annonce l'accueil glacial que la reine réservera à Lancelot (p. 112-113) et qu'elle justifiera par la réticence de ce dernier à monter dans la charrette d'infamie (p. 124).

5. Pour représenter le conflit intérieur qui agite l'âme du héros, l'auteur recourt à des personnifications de sentiments, comme Amour, ou de faculté, comme Raison. Ce procédé stylistique qui confère parfois une tonalité allégorique à l'écriture de Chrétien est un des modes d'écriture de la subjectivité au Moyen Âge. Opposer Amour à Raison revient à placer l'amour du côté de la folie, ce qui est un lieu commun de la poésie d'amour des trouvères.

Page 39.

1. Par opposition à Lancelot dont il est le faire-valoir, Gauvain choisit le parti de Raison.

Page 40.

1. La référence à un conte, source du roman, est une fiction

dont usent souvent les auteurs médiévaux pour affirmer la vérité d'un épisode extraordinaire de leur récit.

2. Ce lit est donc le signe d'une élection. Plus profondément, ce lit interdit représente la couche de la reine, la femme entre toutes interdite.

Page 41.

1. Une demi-aune équivaut à une soixantaine de centimètres.

Page 42.

1. Le motif du lit périlleux se retrouve dans *Le Conte du Graal* : en s'asseyant sur le Lit de la Merveille, Gauvain doit affronter une pluie de flèches que déclenche un mécanisme invisible. Le lit est donc le lieu d'une épreuve initiatique.

2. Une *bière* est une civière en ancien français, mais ce terme servait aussi à désigner un cercueil, aussi possède-t-il des connotations funèbres que renforce l'image des demoiselles en pleurs, auprès du chevalier blessé. Une fois la reine identifiée dans le lointain, le lecteur peut deviner que le blessé est Keu et le grand chevalier, le ravisseur, Méléagant. Le nain avait promis à Lancelot que s'il montait dans la charrette, il aurait des nouvelles de la reine le lendemain (p. 38) : les événements réalisent cette promesse, comme par enchantement.

Page 43.

1. Sur le chemin de son errance, Lancelot rencontre des demoiselles qui le guident, lui apportent aide ou au contraire le mettent à l'épreuve. Anonymes et dotées d'un savoir qui fait défaut au héros, ce sont des personnages féeriques qui semblent émaner de l'espace merveilleux de la forêt.

Page 44.

1. Le pays de Gorre est présenté, pour la première fois, comme le pays dont nul ne revient, ce qui l'assimile au royaume de l'au-delà et de la mort.

2. L'épreuve du passage périlleux est un motif de prédilection de l'aventure chevaleresque.

Page 45.

1. Le motif du don et du contre-don règle les apparitions narra-

tives des demoiselles dans le récit, et les rapports mystérieux qu'elles entretiennent avec le héros.

2. Plongé dans sa méditation amoureuse, Lancelot perd jusqu'au sentiment de sa propre existence. Sans doute est-ce le balancement régulier de son cheval, qui, tel un bercement, l'a plongé dans cet état de rêverie éveillée, que les poètes médiévaux appelaient la *dorveille*.

Page 46.

1. Dans la littérature arthurienne, le gué sert souvent de lieu de passage vers l'Autre Monde dont la frontière avec notre univers est tracée par une rivière profonde. De l'autre côté du gué, se dresse souvent un chevalier menaçant qui en est le gardien pour le compte d'une demoiselle, sous les traits de laquelle se cache une fée des eaux de la mythologie celtique.

Page 50.

1. La demoiselle que Lancelot reconnaît reste un personnage énigmatique pour le lecteur. Est-elle la demoiselle obligeante qui avait indiqué les deux voies périlleuses pour se rendre au pays de Gorre, et exigé en retour une récompense pour prix de ses informations (p. 45) ? Est-elle la sœur de Méléagant qui rendra effectivement service à Lancelot le moment venu ? Pourquoi craint-elle d'être reconnue, au point d'éprouver honte et angoisse à cette idée ? Le texte joue sur l'étrangeté du personnage et de son lien avec le héros, fondé essentiellement sur une promesse, une parole contraignante.

2. Derrière la proposition de la demoiselle, on retrouve un scénario féerique, bien répertorié dans les récits médiévaux : une fée offre son amour à un chevalier et l'entraîne dans l'au-delà. Elle est un des visages de la femme séductrice et maléfique.

3. Cette aventure sera une épreuve de fidélité pour Lancelot.

Page 52.

1. Voir note 4 de la p. 65.

2. L'usage voudrait que ce soit un valet ou une suivante qui offre l'eau et la serviette pour se laver les mains avant le repas.

Page 53.

1. L'obscénité du spectacle, qui suscite effroi et répulsion chez Lancelot, a de quoi surprendre dans un roman courtois, mais elle

éclaire, par contraste, la profondeur de son désir pour la reine, qui s'offrira à lui dans une chambre, comme la demoiselle, mais avec une pudeur qui fait défaut à cette dernière.

Page 55.

1. En congédiant chevaliers et sergents, bizarrement chargés de défendre le violeur, la demoiselle, qui incarne la perversité du désir féminin, semble avoir ourdi un piège à Lancelot.

Page 56.

1. En n'ôtant pas sa chemise, Lancelot contrevient à l'usage, car on avait l'habitude de dormir nu, au Moyen Âge.

2. En comparant le chaste Lancelot à un frère convers, Chrétien adopte une distance ironique à l'égard de son personnage.

3. Au terme de cette épreuve de chasteté, se dégage une définition de l'amour parfait et pur, tel qu'il est éprouvé par Lancelot, le modèle du *fin'amant*.

Page 57.

1. La coutume est un droit oral établi par l'usage et qui a force de loi. Au XIIe siècle, en France, deux pays se distinguent : ceux du Midi où le droit romain, écrit, est en vigueur, et ceux du Nord, dont le système juridique est fondé sur le droit coutumier, que l'on commence à mettre par écrit à partir de la fin du XIIe siècle. Dans le *Chevalier de la Charrette,* Chrétien oppose les bonnes coutumes du royaume de Logres, qui protègent les faibles, aux mauvaises coutumes du royaume de Gorre, qui, au contraire, les asservissent. La mission du chevalier consiste non seulement à faire respecter ou à rétablir les bonnes coutumes, mais encore à abattre les mauvaises.

Page 58.

1. Dans les récits arthuriens, la source ou fontaine est le lieu d'apparition de la femme-fée dont la beauté surnaturelle séduit le chevalier qui l'y rencontre.

Page 59.

1. Mentionné dans la légende épique de Guillaume d'Orange, Ysoré est le nom d'un Sarrasin, qui infligea au héros cette blessure qui lui valut son surnom de Guillaume au *courb nez* ou au *court nez.*

Dans la légende arthurienne, au géant est associée la violence barbare des temps originels : dans le *Conte du Graal*, Chrétien écrit que le royaume de Logres fut jadis une terre peuplée par des ogres, et qu'au début de son règne Arthur vainquit le géant Riton au Mont-Saint-Michel.

Page 61.

1. Non sans ironie, la vertu miraculeuse des cheveux de la reine, que Lancelot adore comme une véritable relique, est comparée au pouvoir de remèdes, aux noms cocasses, en usage à l'époque. Le *diamargariton,* fabriqué à base d'aloès et de gingembre, était considéré comme un fortifiant, efficace pour les personnes âgées. La *pleuriche* était censée guérir de la pleurésie. Quant à la *thériaque,* c'était un antidote contre tous les poisons et en particulier contre les venins de serpents.

2. La foire du Lendit était une grande foire annuelle qui se tenait à Saint-Denis, au nord de Paris, du premier mercredi de juin à la Saint-Jean.

Page 65.

1. Sont évoqués ici trois types de jeux très prisés au Moyen Âge : les jeux de tables, d'échecs et de dés. Le double-six est un jeu de dés où le vainqueur est celui qui obtient un double six avec deux dés. Sous le terme de *mine,* on désignait tout jeu de dés, par allusion au plateau ou au petit bassin métallique du même nom, dans lequel on jetait les dés. Violemment réprouvés par l'Église, parce qu'on y jouait son argent et ses biens, et que les dés étaient souvent truqués, ces jeux de pur hasard étaient pratiqués dans toutes les couches de la société, aussi bien à la taverne du village que dans les cours seigneuriales. Le *trictrac* est la traduction moderne du terme médiéval *jeu de tables* qui servait à désigner tout jeu de pions et de dés se déroulant sur des tablettes de bois. Apparu au XVIe siècle, le mot *trictrac* aurait pour origine une onomatopée évoquant le choc des dés sur le bois du support. Quant aux échecs, ils constituent le divertissement favori de l'aristocratie, si bien que tout jeune noble devait, par son éducation, être initié à ce jeu.

2. Ce pré aux jeux, où demoiselles et chevaliers retrouvent la joie de leur enfance, à travers des jeux, des rondes et des danses, apparaît comme un lieu féerique (Lancelot y étant mystérieusement reconnu comme le chevalier conduit sur la charrette) : il

n'est pas sans rappeler le pays de l'éternelle jeunesse qu'est l'Autre Monde des Celtes.

3. Au Moyen Âge, on attache une grande importance à l'origine des montures. Les chevaux espagnols sont particulièrement estimés en raison de leur endurance et de leur élégance.

4. L'écarlate est un drap de laine fin et souple dont on faisait souvent les manteaux de cour. À l'origine teinte en n'importe quelle couleur, l'écarlate, souvent réservée aux vêtements de cérémonie pour lesquels la couleur rouge était particulièrement appréciée, en vint à désigner un drap de couleur rouge, puis, par métonymie, la couleur rouge elle-même lorsqu'elle est particulièrement intense. Au XIIe siècle, l'usage veut que l'on double de fourrure les vêtements d'apparat et que l'on en orne la bordure du col, des poignets et des ourlets. La fourrure d'écureuil était fort estimée.

5. Les chevaux irlandais étaient réputés pour leur robustesse.

Page 66.

1. Lors des chevauchées, le chevalier porte son écu en bandoulière ou le suspend à son cou au moyen d'une longue bretelle de cuir. Pour combattre, il glisse la main qui tient les rênes du cheval dans des courroies (ou sangles) plus courtes, situées vers le centre de l'écu.

Page 68.

1. Cette querelle entre le père, porte-parole de la sagesse, et le fils, incarnation de la démesure et de l'outrecuidance, annonce les débats entre le roi Bademagu et son fils, Méléagant.

Page 69.

1. Chrétien se sert des toponymes pour construire des hyperboles, d'où la référence à la ville espagnole de Pampelune, et à la principauté de la Dombes, terre de confins, située dans le département de l'Ain, entre le Jura et le Beaujolais.

2. Les épitaphes au futur révèlent l'étrangeté paradoxale de ce cimetière qui n'est pas un lieu de recueillement sur les cendres du passé mais un lieu de prophétie. Sur les tombes on reconnaît des noms familiers de la légende arthurienne : Yvain est le héros d'un autre roman de Chrétien, *Le Chevalier au Lion.* Le nom de Loholt désigne peut-être un fils du roi Arthur que Chrétien mentionne dans *Érec et Énide.*

Page 70.

1. La mission collective du héros libérateur est pour la première fois nettement définie.

Page 71.

1. « Royaume dont nul n'échappe », ou « ne peut sortir », la terre de Gorre s'identifie au monde de la mort.

Page 72.

1. Un *vavasseur* est le vassal d'un seigneur, lui-même vassal d'un seigneur plus puissant. Peu fortuné, le vavasseur est donc un homme de très petite noblesse, mais Chrétien en fait l'incarnation des valeurs les plus élevées de l'aristocratie féodale, un homme de bon conseil, intègre et pur, souvent injustement frappé par le malheur des temps.

Page 73.

1. Si le vavasseur et sa famille, originaires de la terre de Logres, se considèrent comme prisonniers des habitants de Logres, c'est donc que Lancelot a déjà pénétré dans le royaume de Bademagu ou tout du moins dans une de ses marches, c'est-à-dire une région frontière. La géographie du royaume de Logres est incertaine et mystérieuse.

Page 74.

1. La coutume est un instrument d'oppression d'un peuple par un autre, car attachant les habitants de Logres à la terre, comme les serfs l'étaient au Moyen Âge, elle aliène leur liberté. Mais tout autant qu'un moyen politique dont usent des gouvernants tyranniques, la coutume est une contrainte magique qui fixe le destin des hommes comme la fatalité.

Page 75.

1. Incarnation du mal et de l'impiété, les Sarrasins sont les ennemis des chrétiens dans les chansons de geste, dominées par l'idéal de la croisade.

2. Accès périlleux vers l'Autre Monde, le Passage des Pierres fait surgir le motif de la porte étroite, si fréquent dans les récits de voyages initiatiques vers l'au-delà.

Page 76.

1. Une bretèche est une logette rectangulaire, appliquée en encorbellement sur la façade d'une porte fortifiée, et qui permet de lancer des projectiles sur les assaillants.

Page 79.

1. Dans les contes, il n'est pas rare que l'anneau magique donne au héros le pouvoir surnaturel d'invisibilité. Ici, opérant une inversion de ce motif, Chrétien confère à l'anneau non pas la vertu de créer des enchantements trompeurs, mais celle de les dissiper et de ramener à la réalité.

2. Cette fée qui éleva Lancelot durant son enfance est la Dame du Lac, appelée Viviane ou Niniane, dans le *Lancelot propre,* composé au XIIIe siècle. Il y est relaté qu'ayant enlevé Lancelot à sa mère, la reine Hélène de Benoïc, Niniane l'emmena au fond de son lac enchanté et lui donna une éducation exceptionnelle, à l'abri des dangers du monde. Le roman en prose comble ainsi les allusions elliptiques du texte de Chrétien.

Page 80.

1. En théorie, le code chevaleresque interdisait à l'écuyer qui était un apprenti chevalier de prendre part à la bataille, aussi ne disposait-il pour se défendre, du moins à l'origine, que d'un gros bâton. Mais pour aller à la rescousse de son parti, il arrivait souvent qu'il se lançât dans la bataille, avec les armes de réserve de son seigneur qu'il était chargé de porter, ou comme ici avec celles d'un chevalier tombé au champ. C'était le signe que l'apprentissage chevaleresque était achevé et qu'il était temps de l'adouber, c'est-à-dire de le faire passer par un rituel de l'état d'écuyer à celui de chevalier.

Page 83.

1. Après sa participation à la bataille, l'apprenti chevalier est désormais désigné sous le terme de chevalier, comme s'il avait été adoubé de fait.

Page 84.

1. Par *entremets,* on désignait des divertissements qui prenaient place entre les plats, au cours des repas.

Page 87.

1. Pour le sens de *mine,* voir note n. 1 page 65.

2. Le heaume était fixé au haubert par des lacets de cuir que la violence des coups a tranchés. Sous le heaume, le chevalier porte un capuchon ou coiffe de mailles dont la ventaille constitue une partie : elle se relève devant le bas du visage pour protéger le menton et la bouche, et s'attache au moyen de lacets.

Page 88.

1. Loisir de la noblesse, la chasse au faucon, qui fascinait pour la beauté de l'oiseau en vol, a fourni tout un réseau de comparaisons valorisantes à la littérature chevaleresque. Ainsi Lancelot, vainqueur au combat, est-il comparé à l'émerillon, petit faucon au vol rapide, tandis que son adversaire l'est à la pauvre alouette.

2. Non sans un certain humour noir, le vaincu se compare au fou, personnage familier des cours princières et de la littérature médiévale.

3. La couleur fauve de la mule est l'indice que la demoiselle vient de l'Autre Monde.

Page 89.

1. Voici qu'apparaît de nouveau une mystérieuse demoiselle à laquelle Lancelot sera lié par une promesse. La prédiction néfaste de la jeune fille, qui est peut-être la sœur de Méléagant, sert d'annonce floue à l'emprisonnement de Lancelot.

Page 90.

1. Dans le camp de la demoiselle qui réclame le don de la tête se trouve Largesse, tandis que Pitié soutient le parti du vaincu qui implore sa grâce. Une nouvelle fois, la vie de l'âme est représentée, sur le mode allégorique, par un conflit d'entités.

Page 91.

1. L'acharnement de la demoiselle à réclamer la tête du vaincu et sa joie quelque peu perverse devant sa mort demeurent immotivés, ce qui laisse entier le mystère de cet épisode et de ces personnages maléfiques.

Page 93.

1. « Passée la neuvième heure », c'est-à-dire trois heures de l'après-midi. Voir le répertoire à *heures*.

2. L'épée étant l'emblème de la chevalerie, le Pont de l'Épée représente l'épreuve chevaleresque par excellence, mais, plus profondément, il symbolise aussi, parce qu'il barre la route de Lancelot vers la reine, l'interdiction morale et sociale de vivre cet amour pour elle.

Page 94.

1. La rhétorique de la dissuasion use d'une accumulation d'impossibilités fondées sur le thème du monde à l'envers, largement répandu dans la poésie depuis l'Antiquité, et qui fait naître une série d'images contraires à la logique et à l'ordre naturel : réussir à traverser le pont est aussi impossible que d'empêcher les vents de souffler, les oiseaux de chanter, que de retourner dans le ventre de sa mère ou de vider la mer. Ces impossibilités permettent de prendre la mesure de l'extraordinaire exploit de Lancelot.

Page 95.

1. Les chausses de tissu couvrent les pieds et les jambes à la manière de bas. Pour se protéger au combat, le chevalier lace pardessus cette paire de chausses des chausses de mailles d'acier. L'avant-pied était sans doute une bande d'étoffe protégeant le cou-de-pied.

2. Danger imaginaire, les lions symbolisent l'obstacle intérieur à soi qu'il faut surmonter dans la quête de tout amour.

Page 96.

1. Chrétien fait un portrait en antithèse du père et du fils, Bademagu servant d'auxiliaire à Lancelot, alors que Méléagant fait figure de double néfaste du héros. Véritable gardien de la mauvaise coutume de Gorre, Méléagant s'oppose à son père dont les qualités de bon souverain demeurent mystérieusement inopérantes.

Page 97.

1. L'*hommage* est un acte solennel par lequel on reconnaît être l'homme, c'est-à-dire le vassal d'un autre qui est le seigneur. Au cours de la cérémonie, le vassal agenouillé met ses mains dans celles de son seigneur, puis il prononce un serment de foi et de

fidélité : il vit désormais sous la dépendance du suzerain à qui il a prêté, selon l'expression, foi et hommage.

Page 99.

1. Par cette notation fugitive, l'enlèvement de la reine est motivé : Méléagant est amoureux d'elle.

Page 100.

1. Les trois Maries sont trois saintes femmes qui apparaissent dans l'Évangile selon Marc (16, 1) et dont le Moyen Âge fait des demi-sœurs de la Vierge. Il s'agit de Marie-Madeleine, Marie-Cléophas, mère de Jacques le Mineur et Marie-Salomé, mère de Jean l'Évangéliste et de Jacques le Majeur. D'après l'Évangile selon Marc, elles achetèrent des aromates pour embaumer le corps du Christ, après son ensevelissement. Considérés comme des reliques de la Passion, ces aromates, que l'on utilisait pour la confection d'onguents, étaient censés constituer un remède miraculeux contre les plaies. Une légende veut qu'après la mort du Christ, Lazare, Marthe et les trois Maries aient accosté, au terme d'une navigation merveilleuse, au lieu dit plus tard les Saintes-Maries-de-la-Mer.

Page 103.

1. La ville de Montpellier est réputée, dès le XIIe siècle, pour son enseignement de la médecine.

Page 104.

1. Au combat, le cheval peut être revêtu d'une housse de mailles, l'équivalent de la cotte de mailles de celui qui le monte.

Page 105.

1. Sont énumérées des pièces du harnais du cheval : le *poitrail* est la partie couvrant la poitrine de l'animal, les *sangles* et les *varangues* servent à maintenir la selle. Quant aux *arçons*, ce sont les deux arcades de la selle : le *pommeau*, situé à l'avant, et le *troussequin*, à l'arrière.

Page 106.

1. Chevalier anonyme au début du roman, le héros est désigné ensuite par des périphrases ou des surnoms le plus souvent infamants, tels que « le chevalier de la charrette » ou « notre charretier » (p. 49),

avant de retrouver sa véritable identité par la voix de sa dame qui révèle son nom à peu près au milieu de l'œuvre (au v. 3666, l'œuvre en comportant 7122). Le surnom de lieu accolé à son nom est étrange : il rappelle le lac de la fée Niniane où il fut éduqué dans son enfance, et le désigne comme le fils de la fée, le chevalier de l'au-delà.

Page 107.

1. Si la révélation du nom, associée au jeu des regards confère au texte une grande intensité émotionnelle, la position ridicule du héros donne à l'écriture ce recul ironique si caractéristique de la poésie ambiguë de Chrétien.

Page 109.

1. Pyrame est le héros d'un récit des *Métamorphoses* d'Ovide (Livre IV). Deux jeunes Babyloniens, Pyrame et Thisbé, s'aiment, malgré l'opposition de leurs parents. Ils décident de fuir ensemble et se donnent rendez-vous au pied d'un mûrier, en dehors de la ville. Thisbé arrive la première, mais, effrayée par une lionne, elle s'enfuit en abandonnant un voile que l'animal met en pièces. À son arrivée, Pyrame découvre le voile en lambeaux et croit que son amie a été dévorée par la lionne : il se poignarde de désespoir. Revenue sur le lieu du rendez-vous, Thisbé trouve Pyrame expirant et se poignarde à son tour. Selon la légende, le mûrier, qui, jusqu'à ce jour portait des fruits blancs, donna des fruits rouge sombre attestant ainsi que les deux amants l'arrosèrent de leur sang. Ce récit, bien connu au Moyen Âge, qui trouva dans la poésie d'Ovide un langage amoureux et un légendaire de merveilles, donna lieu à un poème anonyme dans le troisième quart du XIIe siècle.

Page 113.

1. L'opposition des yeux et du cœur sert à exprimer, dans un style allégorisant, l'impossibilité du dialogue amoureux, mais permet aussi, avec la suprématie accordée au cœur, de définir l'amour comme une contemplation intérieure de l'être aimé.

Page 114.

1. Usant de l'onguent empoisonné, arme traîtresse qui évoque le venin diabolique du serpent de la Genèse, Méléagant incarne une nouvelle fois le Mal, par opposition à son père.

Page 119.

1. Ces méprises et fausses nouvelles insinuant dans le cœur des amants la tentation réciproque du suicide n'est pas sans rappeler la légende de Pyrame et Thisbé à laquelle Chrétien a fait précédemment allusion en comparant Lancelot à l'amant babylonien (p. 109).

Page 120.

1. Sous l'emprise de la folie d'Amour et miné par les forces obscures du renoncement à soi, Lancelot accomplit ici sa seconde tentative de suicide (voir p. 42) qui donne matière à deux monologues lyriques, dans lesquels la mort, invoquée dans un style allégorisant, est personnifiée. Notons que la représentation du suicide est très rare dans la littérature du XIIe siècle, en raison de la condamnation de l'Église.

Page 122.

1. Méditation sur l'épisode de la charrette d'infamie, ce monologue éclaire le *sen* du roman : le parfait amant accepte la honte pour obéir aux commandements d'Amour et affirme l'autonomie de sa conduite et de sa morale par rapport aux conventions sociales. Le conflit entre l'honneur chevaleresque et l'obéissance à Amour se résout au profit d'Amour.

Page 127.

1. Rappel de l'exploit du Cimetière Futur où Lancelot avait fait preuve de la même force herculéenne en soulevant la lame de son tombeau, le descellement des barreaux de fer signale la force merveilleuse du désir qui pousse Lancelot à braver l'interdit que ces barreaux symbolisent au même titre que le Pont de l'Épée. Par le motif de la blessure qui signale la faute des amants et fait surgir l'idée de la punition, l'exploit des barreaux se rapproche du passage du Pont de l'Epée.

2. L'expression *corps saint* désigne, au Moyen Âge, une relique sacrée. La religion fournit des images plaisantes pour ironiser légèrement sur le culte rendu à la Dame dans l'amour courtois. En entrant dans la chambre de la reine, de même qu'en en sortant, Lancelot s'incline en signe d'adoration (voir p. 129). Ces gestes d'adoration cernent la scène d'un cercle magique.

Page 129.

1. Les tentures ornant les murs de la chambre constituent un luxe seigneurial. Outre le confort qu'elles apportent en coupant les courants d'air, elles servent aussi à délimiter à l'intérieur d'une grande salle des espaces plus intimes, appelés *chambres.*

Page 130.

1. Cette scène d'accusation d'adultère à la vue de taches de sang est inspirée par un épisode de la légende de Tristan et Yseut que relate le poète Béroul, dans un roman composé entre 1160 et 1180. Le nain Frocin, hostile aux amants, conseille au roi Marc d'envoyer son neveu Tristan à la cour du roi Arthur, sachant bien que le jeune homme ira infailliblement dire adieu à la reine dans son lit. Entre le lit d'Yseut et celui de Tristan, Frocin disperse de la fleur de farine, afin de garder la trace des pas de l'un ou l'autre des amants et prouver ainsi l'adultère de la reine. Mais Tristan, ayant découvert la machination du nain, décide de sauter de son lit dans celui de sa bien-aimée. En sautant, il se rouvre une blessure qu'un sanglier lui avait faite à la jambe, lors d'une chasse : les draps et la farine, tachés du sang vermeil de Tristan, constituent alors la preuve irréfutable de leur liaison coupable.

Page 134.

1. Le serment est un acte juridique essentiel des institutions médiévales : le vassal jure fidélité à son suzerain lors de l'hommage, le clerc prononce des vœux solennels lors de sa profession de foi, et le bourgeois prête serment à la commune, s'engageant ainsi à payer les impôts et à participer aux dépenses militaires de la ville. Mais le serment constituant une preuve, car il engage le salut de l'âme du jureur, on recourt au serment judiciaire, appelé serment d'escondit ou serment purgatoire pour se disculper d'une accusation. Le serment de Lancelot rappelle, par son habileté à jouer sur les termes, le serment ambigu, prêté par Yseut, pour se laver de l'accusation d'adultère. La veille du serment, elle a demandé à Tristan de venir déguisé en lépreux au Mal Pas, gué marécageux de la Blanche Lande où se tiendra la cérémonie du serment. Pour éviter de se tacher de boue, elle demande au lépreux de la porter sur son dos de l'autre côté du gué. Le lendemain, elle peut donc jurer devant Dieu que jamais aucun homme

ne pénétra entre ses cuisses, sinon le lépreux qui lui fit passer le gué, et son époux, le roi Marc.

Page 140.

1. Contrairement à Lancelot qui déchiffre les épitaphes sur les tombes du Cimetière Futur (p. 69), ni Gauvain ni Bademagu ne savent lire, ignorance banale dans l'aristocratie au XIIe siècle, les hommes étant surtout éduqués dans l'art de la guerre et de la chasse.

Page 142.

1. La dame de Noauz porte un nom emblématique de l'épisode au cours duquel Lancelot combattra au pire, selon les ordres de la reine, car *noauz* en ancien français signifie le *pire.* On voit, par l'opposition des deux partis, celui de la dame de Pomelegoi et celui de la dame de Noauz, que le tournoi est une sorte de rencontre sportive qui oppose deux camps.

Page 145.

1. De forme ronde, le pavillon est une grande tente luxueuse, somptueusement décorée et aménagée.

Page 146.

1. Dans les tournois, pour permettre aux spectateurs de suivre la progression de l'engagement, le héraut d'armes crie les joutes et le nom de leurs auteurs, qu'il identifie à leurs armoiries. Issu de la domesticité inférieure ou du milieu des jongleurs, le héraut d'armes possède également des fonctions militaires jusqu'au XVe siècle, en raison de sa bonne connaissance des armoiries et des lignages. Avant le combat, il ordonne les différentes bannières, pendant la bataille, il aide à reconnaître les participants, et, l'engagement terminé, il identifie les morts et recense les prisonniers. C'est lui, enfin, qui transmet la nouvelle de la victoire.

Page 148.

1. Le commandement de la reine qui ordonne à Lancelot de combattre au pire se laisse comprendre si l'on songe que ce tournoi a une fonction matrimoniale : les jeunes filles y viennent en quête d'un mari, aussi la reine n'a-t-elle pas intérêt à ce qu'il attire leur attention. Mais Guenièvre cherche pour elle-même à s'assurer

de l'identité du chevalier vermeil (voir p. 149) et de son pouvoir sur lui.

Page 149.

1. Ce passage illustre la difficulté pour Lancelot d'être un parfait amant et un parfait chevalier. Parfait amant, dès lors qu'il obéit au désir de la reine, il perd sa prétention à être un parfait chevalier en acceptant de faire, une nouvelle fois, comme dans l'aventure de la charrette, l'expérience de la honte.

Page 151.

1. Lié par la promesse de racheter sa liberté contre rançon ou de se rendre à un jour fixé pour combattre un adversaire, le chevalier prisonnier ne peut prendre le risque d'être blessé ou capturé au cours du tournoi et de n'être ainsi plus en mesure de tenir parole. De même, le chevalier ayant fait vœu de croisade doit réserver ses forces vives pour la lutte contre l'Infidèle, selon les recommandations de l'Église, qui, tout au long des XIIe et XIIIe siècles, condamna vigoureusement la pratique des tournois qu'elle estimait futile et pernicieuse. En effet, ce que ne montre pas Chrétien qui représente une société aristocratique idéalisée, c'est que le tournoi était un expédient, non sans risques, pour gagner de l'argent. Les chevaliers prisonniers étaient rançonnés, armes et chevaux capturés et rachetés à prix d'or. Et, lorsque la rencontre était achevée, on comptait les prisonniers, les blessés et les morts.

Page 152.

1. La revue des combattants et la description de leurs armoiries est un lieu commun du récit de tournoi. Si, dans cette énumération de chevaliers, certains d'entre eux, tels Coguillant de Mautirec ou Thoas le Jeune, demeurent inconnus, d'autres évoquent par leur nom de célèbres légendes celtiques ou antiques. Ainsi Governal de Roberdic fait-il songer à Governal, l'écuyer et le maître de Tristan. Héros d'un récit breton, Ignauré est un chevalier qui eut douze amies à la fois et dont le cœur, arraché par les maris jaloux, fut servi aux dames qui le mangèrent. Le nom de Sémiramis, curieusement porté par un homme, est celui d'une reine légendaire d'Orient qui aurait fait élever de somptueuses demeures à Babylone, dont les célèbres jardins suspendus. Yder est

le roi de Cornouailles : ses armes (un cerf sortant d'une porte) sont les armes légendaires d'Irlande. Le chevalier Piladès porte le nom d'un héros légendaire de l'Antiquité grecque, Pylade, ami d'Oreste qui aida ce dernier à venger la mort de son père Agamemnon, assassiné par sa mère Clytemnestre et son amant Égiste. Keu d'Estraux est un chevalier de la Table Ronde qui est cité dans *Érec et Énide,* de même que Taulas, surnommé ici de La Déserte, peut-être par confusion avec Claudas de La Déserte, ennemi d'Arthur et du roi Ban de Benoïc, père de Lancelot du Lac, dans le *Lancelot propre* au XIIIe siècle.

Page 156.

1. Au XIIe siècle, la selle repose sur la *couverture,* tapis rectangulaire, parfois festonné de motifs héraldiques. À la fin du siècle, la couverture devient une housse, entièrement ornée de motifs héraldiques, qui recouvre le cou, le corps et les jambes du cheval.

Page 157.

1. Ce passage est confus dans les manuscrits. Le droit d'épave autorisait le seigneur du pays à s'approprier les biens échoués sur les côtes, et donc à les faire disparaître.

Page 158.

1. Si l'on en croit Godefroi de Lagny (voir p. 178), c'est à partir de cet épisode qu'il a continué l'œuvre de Chrétien.

Page 161.

1. Le sureau était au Moyen Âge le symbole de la désespérance, parce que, selon la tradition, c'est à cet arbre que se pendit Judas. Sans doute n'est-ce pas un hasard si l'allusion au sureau se trouve dans la bouche d'un traître.

Page 166.

1. Le reproche que Lancelot adresse à un Gauvain oublieux des devoirs de l'amitié n'est pas sans fondement, car en dépit d'un engagement solennel au nom de la cour (p. 159-160), Gauvain n'entreprend pas la quête de Lancelot, alors que ce dernier avait pris congé de Bademagu et de la reine, pour aller lui porter secours au Pont sous l'Eau (p. 136). Cette opposition met en valeur la loyauté sans faille de Lancelot.

2. À l'origine, le *vilain* est l'habitant de la *villa*, c'est-à-dire de la grande propriété foncière de l'époque carolingienne, devenue bien souvent par la suite le noyau des villages. Bien que méprisé dans la littérature courtoise, il incarnait cependant au Moyen Âge, aux côtés du roi Salomon et du philosophe Sénèque, un des visages de la sagesse, aussi lui attribuait-on la création de proverbes qui furent collectionnés dans un recueil anonyme du XIIIe siècle intitulé les *Proverbes au vilain*.

Page 168.

1. La livre était d'une part une unité de poids qui équivalait environ à 489 grammes, mais qui variait dans les faits. Elle était d'autre part une monnaie de compte, c'est-à-dire qu'elle ne circulait pas sous forme d'espèces, et valait 240 deniers depuis l'époque carolingienne.

Page 170.

1. L'écriture romanesque est ici ambiguë. En effet, ce cheval extraordinaire est dit *merveilleus* en ancien français, adjectif qui le place dans l'univers des légendes où le motif du cheval féerique n'est pas rare.

Page 171.

1. Le tapis sur lequel s'installe Gauvain sert à déposer toutes les armes dont il sera revêtu.

2. Bucéphale était le cheval favori d'Alexandre le Grand (356 - 323 avant J.-C.) dont la légende donna matière au vaste ensemble en vers du *Roman d'Alexandre*, composé d'un amalgame de plusieurs récits dont la rédaction s'étala durant tout le XIIe siècle. Dans ce roman, où le récit des batailles et conquêtes devient prétexte à l'évocation d'aventures merveilleuses dans un décor oriental, le cheval Bucéphale, né le même jour que le conquérant, est un animal fabuleux que seul son maître a pu dresser. Les flancs tachetés, la croupe fauve, la queue violette, il a aussi les yeux d'un lion et la tête d'un bœuf, d'où son nom, car *Boukephalas* signifie en grec « à la tête d'un bœuf ».

Page 172.

1. On retrouve dans un contexte d'accueil public, l'opposition du corps et du cœur qui stylise la difficulté de l'échange amoureux

pour les amants courtois et son caractère nécessairement secret (voir p. 113).

Page 176.

1. Le sycomore est un grand figuier originaire de Haute Égypte et d'Éthiopie, répandu en Égypte, en Arabie et en Judée. Cité dans la Bible et les Évangiles apocryphes, le sycomore est, dans les récits médiévaux, un arbre idéalisé par sa référence à l'Orient, et, dans notre roman, il est magnifié par son ancienneté mythique remontant à l'époque d'Abel, tué par Caïn, son frère (Genèse, IV). Si l'on veut bien considérer Méléagant comme un double néfaste de Lancelot, l'allusion à Abel, ne nous invite-t-elle pas à relire leur rivalité à la lumière du récit biblique ?

REPERTOIRE

Ce répertoire comporte un index des noms de lieux et de personnages, ainsi qu'un glossaire des principaux termes de civilisation utiles à la compréhension du texte. Le numéro de page renvoie à une occurrence du texte particulièrement significative.

Arthur : souverain du royaume de Logres, époux de la reine Guenièvre et oncle de Gauvain. Roi mélancolique et résigné, enfoncé dans l'inaction, Arthur est un personnage de second plan dont l'héroïsme s'efface au profit des valeureux chevaliers de sa cour, tels Lancelot ou Gauvain.

Bade : capitale du roi Bademagu, que l'on a identifiée à la ville anglaise de Bath, située dans le Somerset, au sud-ouest de l'Angleterre.

Bademagu : souverain du royaume de Gorre, père de Méléagant. Ce nom semble composé à partir du nom de la capitale Bade et d'un substantif latin *magus* qui signifie magicien. Or, on lit dans un récit antérieur à l'œuvre de Chrétien, le *Roman de Brut*, composé par Wace vers 1155, que la ville de Bath aurait été fondée par un magicien nommé Bladud. Sans doute faut-il voir dans le personnage de Bademagu la figure rationalisée de ce personnage mythique.

Bliaut : le bliaut est une longue tunique, portée par les hommes comme par les femmes. Dans le costume masculin, le bliaut est taillé dans une étoffe de laine ou de soie. Les manches sont mi-longues et très larges ou longues et resserrées au poignet. Ajusté à la taille par une ceinture, il retombe en une jupe ample, fendue devant et derrière. Le bliaut pouvait se porter soit sous le haubert, soit dessus. Pour les femmes, le bliaut, à la fin du XIIe siècle, était ajusté au buste par des boutons et des lacets, et formait un corsage qui se terminait en une jupe fluide. Les manches étaient alors soit très larges, tombant jusqu'à terre, soit très étroites, s'évasant à la hauteur de la main. Le bliaut était généralement taillé dans des étoffes fines et souples. Enfin, il pouvait être fourré et enrichi de broderies et passementeries. Le bliaut se porte normalement sur la chemise et forme souvent un ensemble avec le manteau qui le recouvre.

Chausses : les chausses de tissu couvrent les jambes et les pieds, à la manière des bas. Généralement en toile ou en laine, teintes de couleur sombre, les chausses peuvent être aussi en soie de couleur vive, lorsqu'elles sont luxueuses. Pour se protéger au combat, le chevalier lace par-dessus cette paire de chausses, des chausses de mailles d'acier (p. 137). C'est sur ces chausses de métal que l'on fixe les éperons.

Complies : voir heures.

Cotte : longue tunique de dessus comme le bliaut, la cotte est elle aussi portée par les deux sexes. Endossée sur la chemise, la cotte est un vêtement ordinaire, confortable et moins ajusté que le bliaut. On la porte dans toutes les classes de la société : le héraut d'armes (p. 146) comme la reine (p. 126) s'en revêtent également, mais l'aristocratie semble lui préférer le bliaut, plus élégant.

Destrier : cheval de bataille de très grand prix, rapide et fougueux, le *destrier* doit son nom au fait que l'écuyer le menait de sa main droite.

Écu ou bouclier : à l'époque carolingienne, le bouclier était rond. Au XIIe siècle, il avait la forme d'une grande amande et mesurait environ un mètre cinquante de long. Ses dimensions lui permettaient de servir de civière, pour transporter un chevalier mort ou blessé. Fait de planches de bois assemblées, il était consolidé sur son pourtour par une armure métallique dont les branches se rejoignaient au centre. L'extérieur de l'écu était recouvert de toile, de cuir ou de fourrure. Son renflement central était renforcé par une boucle (d'où le nom de bouclier), bosse de métal parfois ornée de gemmes ou de verroteries qui servait à faire dévier les coups. Lors des chevauchées, le chevalier porte son écu en bandoulière ou le suspend à son cou au moyen d'une longue courroie, la *guiche.* Au moment du combat, le chevalier glisse la main qui tient les rênes du cheval, dans des courroies plus courtes, les *enarmes,* situées vers le centre de l'écu. Pour des raisons militaires (reconnaître les combattants) et sociales (donner des signes d'identité aux classes supérieures), les armoiries naissent au tournant des XIe et XIIe siècles. Le bouclier est ainsi orné de figures végétales, géométriques (p. 151) ou animales (p. 151). Peu à peu, les héros arthuriens acquerront des marques héraldiques invariables, d'un récit à un autre et dans les manuscrits, d'une miniature à une autre. Traditionnellement, dans les romans du XIIIe siècle, les armes de Lancelot du Lac sont trois bandes obliques rouges sur fond blanc.

Écuyer : voir serviteurs.

Gauvain : neveu préféré du roi Arthur, fils du roi Lot d'Orcanie et d'une demi-sœur du roi Arthur, nommée Anna ou Morcadès selon les récits de la légende. Grand séducteur de femmes, Gauvain incarne un idéal chevaleresque empreint de raison, de mesure et de courtoisie.

Godefroi de Lagny : clerc originaire de Lagny en Seine-et-Marne qui a achevé le *Chevalier de la Charrette* avec l'assentiment de Chrétien. Continuer et mener à son terme une œuvre entreprise par un autre écrivain est un mode d'écriture relativement fréquent au Moyen Âge. Ainsi la mort de Chrétien laissant le *Conte du Graal* inachevé a-t-elle suscité, à la fin du XIIe et au début du XIIIe siècle, quatre *Continuations de Perceval* d'auteurs différents. De même Jean de Meun acheva-t-il le *Roman de la Rose* (vers 1270) entrepris par Guillaume de Lorris (vers 1230).

Gorre : nom du royaume de Bademagu, dont l'origine serait peut-être une altération du substantif *Voirre* (« verre »), ce qui permettrait de rapprocher, sinon d'assimiler, ce pays de l'au-delà avec l'*Isle de Voirre,* mentionnée dans un des manuscrits (B. N. fr. 1450) d'*Érec et Énide.* Cette île, qui selon Chrétien ne connaît ni la foudre ni la tempête, où l'hiver n'existe pas, a été identifiée avec le pays des Morts de la religion celtique, pays de l'éternel été, où n'existent ni la maladie ni la vieillesse. L'île de Verre constitue donc un des hauts lieux de la féerie pour l'imaginaire médiéval.

Guenièvre : épouse du roi Arthur, dont le nom celtique, Gwenhwyvar, signifiant « Blanc Fantôme », rappelle qu'elle fut probablement à l'origine un personnage féerique de l'au-delà. Si, dans tous les autres romans de Chrétien, la reine demeure un personnage secondaire, présidant aux fêtes, mariages et tournois, elle incarne, dans le *Chevalier de la Charrette,* la dame de l'idéal courtois, dominatrice et souveraine, qui suscite désir et prouesse.

Haubert : le haubert est une longue cotte de mailles, constituée d'anneaux de métal ou d'acier rivés les uns aux autres. Descendant jusqu'aux genoux, fendue derrière et devant pour faciliter les mouvements du cavalier, cette tunique large et souple est resserrée à la taille par un ceinturon. Le haubert est en outre pourvu de manches et d'un capuchon de mailles qui protège la tête et la nuque. C'est donc un vêtement lourd (de dix à douze kilos) qu'on ne peut enfiler ni enlever sans aide. Sous le haubert, pour éviter que ses mailles ne rentrent dans la chair, le chevalier porte le *gambison* ou *gamboison,* veste de peau ou de toile rembourrée, destinée à amortir les coups. Un bonnet fait d'étoffes superposées et piquées permet de supporter le capuchon de mailles. L'armement défensif du chevalier se complétait du heaume, des chausses et du bouclier.

Heaume : jusqu'au milieu du XIIe siècle, le heaume n'est qu'un casque conique complété d'un nasal, pièce métallique rectangulaire protégeant le nez. Un pan de cuir couvre la nuque. À partir du XIIIe siècle, le heaume emboîte toute la tête. La visière articulée est percée d'œillères et de trous pour la respiration. Fixé au haubert par des lacets, ce grand casque peut être peint et serti de verroteries.

Heures : la maîtrise du temps est religieuse. C'est la liturgie quotidienne qui scande la journée, les prières devant être chantées à des heures fixées par les canons de l'Église (d'où les heures canoniales et les livres d'heures). De trois en trois heures — heures diurnes dont la durée varie en fonction des saisons —, la journée était donc découpée par les offices de matines (minuit), laudes (3 heures du matin), prime (6 heures), tierce (9 heures), sexte ou midi (12 heures), none (3 heures de l'après-midi), vêpres (6 heures du soir), complies (9 heures du soir). Dans les romans arthuriens, l'aventure chevaleresque se déroule généralement de prime à vêpres.

Keu : sénéchal du roi Arthur, Keu est aussi l'un de ses plus fidèles compagnons, et même, selon les récits de la Table Ronde du XIIIe siècle, son frère de lait, ce qui explique l'indulgence et l'affection indéfectible du roi à son égard. Réputé pour sa malveillance et sa présomption, souvent ridiculisé par ses mésaventures chevaleresques, Keu est l'antithèse de Gauvain, le héros courtois par excellence.

Lance : jusqu'au XIe siècle, la lance était une arme de jet, légère et courte, que l'on brandissait au-dessus de la tête avant de la lancer contre l'ennemi. Au XIIe siècle, devenue plus lourde et plus longue (elle mesurait environ trois mètres), la lance se différencie nettement du javelot : désormais c'est une arme de choc. Le bois de sa hampe que l'on peint aux couleurs du chevalier est fait dans une essence solide, en général du frêne. À l'endroit où l'on empoigne la lance, le fût est entaillé et recouvert d'une peau de chamois, pour éviter à la main de glisser. À l'une des extrémités de la lance, est encastré un fer, destiné à transpercer l'écu de l'adversaire, à désarçonner celui-ci, voire à le transpercer. Juste au-dessous du fer, on clouait un pennon triangulaire à valeur emblématique. En voyage, la lance, tenue verticalement, prenait appui sur un bourrelet de feutre (le *fautre*), situé sur le devant de la selle. Au moment de la charge, ce *fautre* sert à caler la lance abaissée.

Lancelot : mentionné dans *Érec et Énide*, ainsi que dans *Cligès*, Lancelot est d'abord désigné dans notre roman, par d'infamantes périphrases telles « le chevalier de la charrette » ou « notre charretier » (p. 49), avant de retrouver sa véritable identité par la voix de sa dame qui révèle son nom à peu près au milieu de l'œuvre. Celle-ci ne construit pas une biographie du héros, Chrétien ne faisant qu'une brève allusion à l'enfance passée auprès d'une fée (p. 79). Reprenant sans doute des éléments légendaires très anciens qui préexistaient au récit de Chrétien, et dont garde la trace le roman *Lanzelet* d'Ulrich von Zatzikhoven composé en moyen-haut allemand à la fin du XIIe siècle à partir d'un récit français perdu, le roman de *Lancelot* en prose, nommé *Lancelot propre* (vers 1220-1225), retrace l'enfance et la vie de ce splendide chevalier. Fils du roi Ban de Benoïc, souverain de la terre de Gaunes, située en Gaule, et de la reine

Hélène, qui, par son ascendance appartient au lignage du roi David, Lancelot est privé de son héritage, à sa naissance, par Claudas de La Déserte qui déclare la guerre au roi Ban et contraint celui-ci à quitter sa terre avec sa famille. Pendant sa fuite, le roi meurt, et, tandis que son épouse le pleure, Niniane, une fée des eaux, enlève Lancelot dans le domaine enchanté de son lac, d'où son nom Lancelot du Lac. Devenu chevalier de la Table Ronde, il échoue dans la quête du Graal, en raison de son amour adultère pour Guenièvre.

Lieue : cette mesure de distance varie suivant les régions. Une des valeurs souvent citée de la lieue est de quatre kilomètres .

Logres : nom du royaume d'Arthur, qui correspond au sud-est de l'Angleterre. Ce nom viendrait du gallois *Lloegr* ou *Lloegyr* qui signifie « plat pays ». Mais la littérature s'est plu à donner sens à ce nom par des jeux d'homonymie. Selon le *Roman de Brut* de Wace (1155), c'est Locrinus, l'un des fils de Brut, le conquérant troyen de Grande-Bretagne, qui donna son nom à la partie du royaume dont il hérita à la mort de son père. Dans le *Conte du Graal,* Chrétien fait rimer *Logres* avec *ogres,* reprenant ainsi la fable mythique selon laquelle la Grande-Bretagne était à l'origine peuplée par une race de géants que les Troyens exterminèrent.

Manteau : vêtement de parade et de cérémonie qui se porte à la cour, le manteau est en fait une longue cape fluide, dépourvue de manches, de forme semi-circulaire ou quadrangulaire. Luxueux, il est taillé dans des étoffes précieuses comme l'écarlate ou la soie, bordé et doublé de fourrure (p. 40, 126). Le port de ce vêtement de luxe, apanage de l'aristocratie élégante, est régi par un protocole précis. Ainsi est-il d'usage d'accueillir des hôtes en leur offrant un manteau qu'ils garderont sur leurs épaules pendant le repas (p. 40). Ce geste d'accueil est un signe d'élégance aristocratique mais aussi de courtoisie et de non-agressivité sociale. En outre, parce qu'il est un vêtement de fête et de loisir, l'étiquette exige qu'on s'abstienne de le porter lorsqu'on accomplit un service (p. 171).

Méléagant : fils rebelle du roi Bademagu et ravisseur de Guenièvre, dans lequel on peut reconnaître Melvas, le roi légendaire du Somerset, dont le nom d'origine galloise signifierait « prince de la mort », et qui, selon la *Vie de saint Gildas,* se serait réfugié à Glastonbury, après avoir enlevé Guennuvar, la femme d'Arthur.

None : voir heures.

Palefroi : apte aux longues courses, le palefroi est un cheval de renfort ou de parade, dont l'allure douce le prédispose à servir de monture aux femmes.

Poterne : petite porte dérobée dans la muraille d'un château ou d'une forteresse, la poterne s'ouvrait sur le fossé, sous le pont-levis. En cas de siège, elle permettait de sortir et de communiquer avec l'extérieur.

Prime : voir heures.

Robe : terme qui désigne l'ensemble du costume du chevalier comprenant la cotte, le surcot, sorte de gilet sans manches qui se ferme sur les épaules par des boutons, ainsi que le manteau (p. 169).

Sergent : voir serviteurs.

Serviteurs : autour du chevalier ou du seigneur gravitent les écuyers, les valets, les sergents et les garçons. Inférieur au chevalier, l'écuyer n'est cependant pas un serviteur comme les autres. Chargé de porter l'écu du chevalier lorsqu'il ne combat pas (fonction d'où il tire son nom), l'écuyer est un homme d'armes qui assiste son maître, s'occupe de son armure et de ses chevaux. L'écuyer répare ainsi les pièces de l'armement endommagées dans les tournois et batailles, comme par exemple les courroies des hauberts. Mais il accomplit bien d'autres tâches. Valet de chambre, il aide le chevalier à revêtir son armure. À table, il sert le pain, le vin, les viandes et les venaisons qu'il doit découper. Il accompagne aussi le seigneur à la chasse et prépare à cet effet les armes, les coutelas et les épieux avec lesquels on achève la bête poursuivie. À partir du XIIe-XIIIe siècle, le terme désigne moins une fonction qu'un rang dans l'ordre chevaleresque. On réserve en effet le titre d'écuyer au combattant qui n'a pas été adoubé, soit parce que très jeune encore, il n'est qu'apprenti chevalier, soit parce qu'il n'a pas les moyens financiers d'accéder à la chevalerie et préfère ainsi rester au service d'un seigneur. Le valet est un jeune homme noble qui sert à la cour du seigneur pour y apprendre le métier des armes et aussi les manières courtoises. La noble naissance des valets, sur laquelle les textes ne manquent pas d'insister (p. 171) les exempte des services subalternes, réservés aux garçons, présentés dans cette littérature aristocratique comme des valets d'écurie grossiers (p. 159). Mieux considéré, le sergent est souvent chargé de la police du seigneur et de sa protection (p. 53).

Setier : ancienne mesure de capacité pour les grains valant entre 150 et 300 litres environ.

Valet : voir serviteurs.

Vassal : désigne en ancien français l'homme libre qui jure fidélité à un seigneur et se place ainsi sous sa protection. Ce lien de dépendance implique des devoirs réciproques. Le suzerain doit pourvoir à l'entretien du vassal, ce qu'il fait en le *chasant,* c'est-à-dire en lui concédant un fief par le rituel de l'investiture qui suit l'hommage. C'est en vertu de cette cérémonie que le vassal est dit l'homme d'un autre homme. Les obligations du vassal sont l'aide militaire, l'aide financière et le service de conseil. L'aide militaire comprend la défense de la seigneurie en cas d'attaque, le service de chevauchée si le seigneur part en expédition, la garde du château seigneurial et l'accueil du suzerain dans la demeure du vassal. Dans certaines circonstances, le vassal doit aussi aider financièrement le seigneur en difficulté : lorsqu'il est captif et qu'on exige une rançon, lorsqu'il marie sa première fille ou adoube son fils aîné, enfin lorsqu'il part en croisade. Par le service de conseil, le vassal aide son suzerain à prendre des décisions politiques ou judiciaires. En dehors de ce cadre juridique strict, le mot *vassal* désigne plus largement un fidèle qui se soumet à un autre homme, ou un chevalier qui fait preuve de vaillance. En terme d'adresse, il peut comporter une nuance de mépris ou d'irritation (p. 47).

DU MÊME AUTEUR

Dans la même collection

PERCEVAL OU LE ROMAN DU GRAAL, suivi d'un choix des continuations. *Préface d'Armand Hoog. Traduction de Jean-Pierre Foucher.*

ROMANS DE LA TABLE RONDE : ÉREC ET ÉNIDE, CLIGÈS OU LA FAUSSE MORTE, LANCELOT LE CHEVALIER À LA CHARRETTE, YVAIN LE CHEVALIER AU LION. *Préface et traduction de Jean-Pierre Foucher.*

YVAIN OU LE CHEVALIER AU LION. *Préface et traduction de Philippe Walter.*

Impression Novoprint
à Barcelone, le 30 juillet 2020
Dépôt légal : juillet 2020
Premier dépôt légal dans la collection : août 1996

ISBN 978-2-07-040063-8./Imprimé en Espagne.

373034